COLLECTION FONDÉE EN 1984
PAR ALAIN HORIC
ET GASTON MIRON

TYPO EST DIRIGÉE PAR
PIERRE GRAVELINE

AVEC LA COLLABORATION DE
JEAN-FRANÇOIS NADEAU
SIMONE SAUREN
ET JEAN-YVES SOUCY

D1413927

TYPO bénéficie du soutien du ministère de la Société de développement des entreprises culturelles du Québec (SODEC) pour son programme d'édition.

Nous reconnaissons l'aide financière du gouvernement du Canada par l'entremise du Programme d'aide au développement de l'industrie de l'édition (PADIÉ) pour nos activités d'édition.

Nous remercions le Conseil des Arts du Canada de l'aide accordée à notre programme de publication.

LES FÉES ONT SOIF

DENISE BOUCHER

Les fées ont soif

Théâtre

Introduction de Lise Gauvin
Préface de Claire Lejeune

TYPO

Éditions TYPO
Une division du groupe Ville-Marie Littérature
1010, rue de La Gauchetière Est
Montréal, Québec H2L 2N5
Tél.: (514) 523-1182
Téléc.: (514) 282-7530
Courriel: vml@sogides.com

Maquette de la couverture: Claude Lafrance
En couverture: Suzanne Pasquin, série «Mémorables», pastel et fusain, 1984
Copie musicale: Jean Desjardins

DISTRIBUTEURS EXCLUSIFS:

• Pour le Québec, le Canada et les États-Unis:
LES MESSAGERIES ADP*
955, rue Amherst, Montréal, Québec H2L 3K4
Tél.: (514) 523-1182
Téléc.: (514) 939-0406
* Filiale de Sogides ltée

• Pour la France:
D.E.Q.
30, rue Gay-Lussac, 75005 Paris
Tél.: 01 43 54 49 02
Téléc.: 01 43 54 39 15
Courriel: liquebec@cybercable.fr

• Pour la Suisse:
TRANSAT S.A.
4 Ter, route des Jeunes
C.P. 1210, 1211 Genève 26
Tél.: (41-22) 342-77-40
Téléc.: (41-22) 343-46-46

———————

Pour en savoir davantage sur nos publications,
visitez notre site: www.edtypo.com
Autres sites à visiter: www.edhexagone.com • www.edvlb.com
www.edhomme.com • www.edjour.com • www.edutilis.com

———————

Édition originale: Denise Boucher, *Les fées ont soif,*
Montréal, Éditions Intermède, 1978

Dépôt légal: 4ᵉ trimestre 1989
Bibliothèque nationale du Québec
Bibliothèque nationale du Canada

Nouvelle édition revue, corrigée, augmentée et remaniée
© 1989 Éditions TYPO Denise Boucher
Tous droits réservés pour tous pays
ISBN 2-89295-037-6

INTRODUCTION

Au nom des fées ou un fée-nomen

> *Reléguée et même, pour la bonne mesure de sécurité mâle, sacrée en quelque sorte dans ses fonctions de reproductrice utile ou d'amante décorative, privée de toute spontanéité d'invention, la femme n'a jamais eu ni oreille ni voix au chapitre des penseurs, des savants, des artistes et des politiques. Jamais, avant l'avènement du féminisme. De cette ignorante silencieuse, il était facile de passer à ses aises et commodités. Certes, quelques femmes ont été entendues au cours des âges parmi le concert des proférations masculines, exceptions dont les hommes n'ont pas encore saisi le sens, lequel n'est rien moins que l'insinuation de la norme féminine.*

> Jean Le Moyne,
> *Convergences,* 1960.

Ne suis ni vierge, ni putain, ni grande
dame, ni servante. Ne suis pas la pythie aimée
ou maudite. Si près de la loi, la folie et j'ai
mille visages pour les convenances. Toutes
frontières ouvertes du dedans au dehors. Le
caviardage au centre de la parole.

France Théoret,
Vertiges, 1978.

L'art, comme la femme, est séditieux.

Martine Corrivault,
Le Soleil, 16 décembre 1978.

Dix ans après la création, relire *Les fées ont soif.*
Nous sommes en 1989. Montréal fête dans l'enthousiasme les quarante ans de *Refus global*. En août 1948,
un groupe d'artistes a osé attaquer l'immobilisme de la
société canadienne-française et opposer à une somme de
refus la responsabilité entière. Conséquence immédiate:
la plupart des signataires du manifeste perdent leur emploi
et sont forcés de s'exiler. On les célèbre aujourd'hui avec
une joie non feinte: par-delà la nostalgie, on sait ce que
le Québec moderne doit à cette rupture provocante et inau-
gurale. Comme plusieurs textes manifestaires, *Refus global* annonce des changements en gestation dans une société
qui, pour une large part — si on en juge par la centaine
d'articles de protestations publiés dans les quotidiens —,
feint de les ignorer. Mais si le groupe a encore quelque
notoriété aujourd'hui, déclarait récemment Fernand
Leduc, c'est à cause de la valeur esthétique du mouve-

ment et des œuvres qu'il a engendrées. Relire les *Fées*, donc, en 1989.

Au moment de la parution du livre, il y a dix ans, alors critique à l'émission *Book-Club* de Radio-Canada, je disais être frappée par l'aspect manifestaire de la pièce. C'est cet aspect qui, à la relecture, retient une fois de plus mon attention.

Du manifeste, la pièce a l'aspect circonstanciel, ponctuel. Mais il s'agit, dans ce cas comme dans les autres, d'une apparence trompeuse de génération spontanée. Le manifeste cristallise, généralise et donne à voir de façon éclatante une réalité présente implicitement dans le tissu culturel et social bien qu'encore occultée par les pouvoirs institutionnels. *Les fées ont soif* font partie de cette décennie, les années soixante-dix, qu'on a coutume de décrire comme celle de l'émergence du féminisme au Québec. Rappelons seulement, pour mémoire, qu'on voit naître durant ces années deux maisons d'édition (les éditions du Remue-ménage et de la Pleine lune), deux revues (*Québécoises deboutte* et *Les têtes de pioche*), deux troupes de théâtre (le Thêâtre des cuisines et le Théâtre expérimental des femmes) et une librairie (la Librairie des femmes d'ici), qui affichent une orientation féministe. Si *Liberté* consacre un colloque à «La femme et l'écriture», les revues *Chroniques* et la *Nouvelle Barre du jour* font une large part, à l'intérieur de leurs pages, à ce même sujet. En 1976 paraît *L'Euguélionne* de Louky Bersianik, sorte de bible réécrite au féminin. Au théâtre, parmi les créations collectives féminines, mentionnons *Si Cendrillon pouvait mourir*, à Thetford Mines (1975) qui s'attaque aux modèles. Quant à *La nef des sorcières*, jouée au TNM en 1976, elle est essentiellement constituée de monologues écrits par des écrivaines connues et qui mettent en situation des moments de la vie des femmes.

Le féminisme, peu à peu, gagne du terrain et semble acquérir son accréditation. Du moins extérieurement. Pourtant, plusieurs choses ne sont pas encore dites et certaines questions demeurent sans réponse. Entre autres celle-ci, énoncée par les comédiennes Michèle Magny et Sophie Clément: «Pourquoi nos mères ont-elles à ce point gardé le silence sur le viol, l'inceste, la prostitution et leur propre absence de plaisir[1]?»

Le travail d'élaboration et — oserais-je dire — de conception des *Fées* est fait, jusqu'à un certain point, en collectif. Les comédiennes demandent à Denise Boucher de leur écrire un texte et travaillent avec elle durant un an. Le metteur en scène, Jean-Luc Bastien, se met de la partie ainsi que Louisette Dussault, troisième comédienne, qui avoue avoir joué le rôle de catalyseur. À propos de ce travail, Denise Boucher déclare: «Personne, fût-elle juge, ne pourra jamais m'enlever toutes les multiples émotions de joies connues avec l'équipe des *Fées* qui m'a ouvert les coulisses du théâtre.» Les *Fées*, texte-manifeste, est un texte pluriel, écrit par une auteure mais jusqu'à un certain point contresigné par le groupe de production. Le compositeur de la musique, Jean-François Garneau, ne craint pas d'affirmer: «Toute notre culture est une culture d'hommes célibataires qui ont rejeté les femmes et les enfants depuis toujours[2].»

Du manifeste, la pièce a encore et surtout l'aspect iconoclaste. Au sens propre et fort du terme. Elle s'attaque non seulement aux rôles sociaux, mais également aux images et aux symboles sur lesquels repose la civilisation occidentale. Les archétypes de la Vierge, de la mère et de la putain, plus qu'un système de représentation théâtrale efficace, sont les fondements mêmes sur lesquels on s'est appuyé pour évacuer la femme de sa propre histoire et de son corps. L'originalité de la pièce a été de lier les trois images, d'en faire une trinité opérante et parlante, capable de dénoncer ses peurs, ses manques et, par-dessus tout, son état de latence: «Ça fait si longtemps que je m'attends», disent-elles. Mais la lamentation litanique de ces corps désertés de leur propre désir, résumés à leur seule fonctionnalité charnelle ou mythique, ne prend son sens, ici comme là, que par la revendication d'une responsabilité entière. Tirer sur «les murs du silence» et «ouvrir les battants des mots» sont les prémices d'un chant d'amour dont le mot clé et le leitmotiv généreux s'appelle «imagine». La proposition est vaste. Elle ne comporte pas de mode d'emploi ni de mot d'ordre plus précis que celui de rendre possible la circulation des discours. À la violence des actes et des modèles les *Fées* opposent la machine désirante du *je* se constituant comme sujet. Et ce au risque de l'anarchie libertaire. Aussi ce manifeste se comporte-t-il également, par l'absence de pouvoir revendiqué et par l'interaction des différences qu'il met en jeu, comme un antimanifeste[3].

Relire les *Fées* en 1989, c'est se laisser séduire, encore une fois, par l'impact de phrases lapidaires, et par la force incantatoire de chansons — à la manière des *songs* brechtiens — savamment rythmées. Lyrisme et distanciation, humour et tragique, immobilité et mouvement, s'y tiennent en constant équilibre. Aux monologues successifs — ces jeux de la vérité et de l'intime — qui déterminent la structure de *La nef des sorcières*, succède le relief théâtral du monologue alterné, se transformant progressivement en dialogue. À cela s'ajoute la dynamique des trois lieux scéniques simultanés, les trois cellules imaginées par Jean-Luc Bastien, et du lieu neutre que le personnage fréquente quand il s'agit pour lui de réfléchir et de rêver. Relire les *Fées*, c'est aussi constater à nouveau la pertinence de la technique de collage déjà expérimentée par des femmes en d'autres spectacles — amalgame de sketches, de monologues, de chansons, de litanie, et même de folklore — qu'on associe aujourd'hui au baroque postmoderne[4].

Relire les *Fées*, c'est enfin s'étonner du tapage causé par la pièce lors de sa création. Diable, cette Vierge, qui dit: «Je suis l'Immaculée de toutes leurs obsessions» et se déclare «la reine des muettes», qu'avait-elle de si terrifiant? Déjà le thème de la statue apparaît en filigrane dans les monologues de *La nef des sorcières*. Mais ici, au lieu d'être métaphorique, la statue est représentée, visible sur scène: à un moment donné elle se casse et brise son carcan de plâtre pour se mettre à danser, comme jadis le firent les fées de Bretagne à l'annonce de l'arrivée du Christ[5]. Ajoutons que l'actrice jouant le personnage de la Vierge interprète également le violeur dans une des scènes les plus émouvantes de la pièce, pendant que sur Madeleine, la prostituée, «s'étend comme un gros oiseau». La dimension métaphorique, en cette occasion, n'a pas été unanimement prisée. On assista alors à une nouvelle querelle de Tartuffe. Mais n'est-il pas dans la logique même du manifeste d'étonner, de provoquer, voire de scandaliser? Sa réception en prolonge le texte et le constitue globalement.

Rappelons brièvement les faits. Le 16 mai 1978, le Conseil des Arts de la région métropolitaine de Montréal annonce au directeur du Théâtre du Nouveau-Monde, Jean-Louis Roux, qu'il ne subventionnera pas *Les fées ont soif*. Déjà une autre pièce, *Ti-Jésus, bonjour*, de Jean Frigon, avait suscité la colère du Conseil et valu au TNM l'avertissement suivant: «Nos membres ne veulent pas que nos organismes culturels subventionnés présentent au public des pièces susceptibles de ternir son image — ici et à l'étranger — et qui créeront un sentiment de gêne ou de dégoût[5].» À propos des *Fées*, le président du Conseil, le juge Jacques Vadeboncœur, parle publiquement de «merde» et de «cochonnerie». Il défie tout quotidien d'en publier trois pages. Le lendemain de sa déclaration, un extrait des *Fées* paraît dans *La Presse*. Le 31 mai, un éditorialiste du *Devoir*, Michel Roy, prononce le mot de censure. En juin, le débat devient véritablement public. Une pétition à la défense de la pièce circule et recueille quatre cents signatures. Une conférence de presse est organisée, à laquelle participent Jean-Pierre Ronfard, Michel Garneau, Janou Saint-Denis, Ève-Marie et Denise Boucher. Entre temps, les répétitions continuent. De nombreuses lettres de protestation et d'appui sont envoyées aux journaux. Parmi les organismes qui interviennent, mentionnons l'Association des directeurs de théâtre, la Ligue des droits de l'homme, l'Union des écrivains québécois, l'Institut international du théâtre, l'Union des artistes, la revue *Jeu*, les femmes du PQ, etc. Le 21 juillet, Mme Thérèse Lamarche, seule femme à faire partie du Conseil d'administration du Conseil des Arts de la région métropolitaine de Montréal, démissionne. Dans les journaux, la querelle continue. Le 11 novembre, la pièce prend l'affiche au Théâtre du Nouveau-Monde. Le pari semble gagné.

La guerre pourtant ne fait que commencer. Le 25 novembre, jour de la publication de la pièce, une organisation d'extrême droite, rattachée à des groupes similaires soutenus par les régimes fascistes d'Amérique du Sud, les Jeunes Canadiens pour une civilisation chrétienne, dont la devise est: *Tradition, famille, propriété*, organise des manifestations à la porte du TNM et des «soirées de réparation» dans les églises. Une pétition contre les *Fées* recueille quinze mille signatures. L'archevêque de Montréal, Mgr Paul Grégoire, intervient et, le 28 novembre, émet une déclaration dénonçant la vulgarité, le mépris et la dérision à l'œuvre dans la pièce. «Il est particulièrement pénible pour des chrétiens, ajoute-t-il, de constater que l'on donne une présentation loufoque de la Vierge, dont on fait un pantin, une invention de la domination masculine, une fiction responsable de l'aliénation des femmes.» Mgr Grégoire avoue toutefois ne pas avoir vu la pièce qu'il condamne et qu'il ne nomme pas expressément. Le 4 décembre, une injonction prononcée par le juge Paul Reeves de la Cour supérieure interdit l'impression, la publication et la diffusion du livre. L'injonction avait été réclamée par M^c Émile Colas, à l'instigation des Jeunes Canadiens pour une civilisation chrétienne, du Conseil d'État des Chevaliers de Colomb de Québec, de l'Association des parents catholiques du Québec, du Mouvement des Crusillos, des Cercles des fermières et de huit autres personnes. Le 25 janvier, la juge Gabrielle Vallée — une femme — annonce la levée de l'interdiction à cause d'un vice de forme. La juge Vallée affirme en effet que «toute injonction contre une œuvre d'art ayant un impact social important doit provenir au procureur général de la province, puisque l'ouvrage affecte la société et non l'individu». Le même jour, une pétition signée d'intellectuels français prestigieux demande la levée de l'interdiction. Parmi les noms, on remarque ceux de Simone de Beauvoir, Annie Leclerc, André-Pierre de Mandiargues, Denis Roche, Christiane Rochefort, Philippe Sollers et Julia Kristeva. Finalement, Mc Colas porte l'affaire jusqu'en Cour suprême, qui donne raison à Denise Boucher et au TNM.

Voilà les principaux jalons de ce qui nous apparaît, à distance, comme une rocambolesque aventure ou un triste folklore. Folklore qui a monopolisé l'opinion publique, toutefois, durant près d'un an. Si la question de la censure a été tout au long au centre même de l'affaire, celle-ci a pris des orientations différentes au cours des mois. D'un débat culturel on est passé à un débat plus nettement religieux, avec la caution du juridique, jusqu'à quasi évacuer le débat théâtral comme tel.

Un débat culturel. La première phase de l'affaire pose la question de l'art en rapport avec le bon goût et l'argent. «Quelle étrange maladie frappe nos jeunes auteurs québécois[6]?», se demande-t-on après la parution de l'extrait des *Fées* dans *La Presse*. Alors que le juge Vadeboncœur parle de «cochonnerie», plusieurs lecteurs renchérissent et les opinions vont bon train. «Pièce osée, sacrilège. Facilité, mauvais goût. Platitude cynique. Sacrilège contre le bon goût et la langue», proclament les titres. «L'increvable querelle du joual est relancée», annonce Claude Lagadec[7]. Mais, dix ans après les *Belles-Soeurs* de Michel Tremblay, un argument nouveau est invoqué: l'argent. «Je refuse catégoriquement que l'argent de mes impôts serve à salir ce que j'ai de plus cher», déclare une Montréalaise qui a honte[8]. Et encore: «D'aussi loin que je puisse me souvenir, jamais la Poune ou Ti-Zoune qu'à l'ouest de Saint-Laurent on considérait *cheap* n'avaient d'écarts de langage ordurier. [...] Nos taxes ne doivent pas rendre ce trônage possible[9].» Les contribuables réclament de la «bonne» culture et du «beau» langage. Est-ce une raison pour interdire la pièce? «Laissons le peuple juger de la qualité des œuvres culturelles», déclare Jean-Paul Lallier, ancien ministre des Affaires culturelles[10]. Il semble que, dans cette première phase de la querelle, le fait qu'une œuvre jugée de niveau inférieur soit présentée dans un théâtre reconnu et institutionnel comme le Nouveau-Monde ait fortement joué.

Le débat religieux. Après la déclaration de l'archevêque de Montréal et après l'injonction, la question des *Fées* prend une tournure nettement religieuse. Elle quitte à peu près le terrain de l'art pour aborder celui des valeurs sacrées: celle de la Vierge, celle de l'Esprit-Saint assimilé à l'oiseau violeur et, sous-jacente à l'une et à l'autre, celle de la maternité. «Si l'auteur de la Bible décrit Dieu par moment comme tueur d'hommes et d'enfants c'est, dit-on, parce qu'il fait œuvre littéraire plutôt qu'œuvre de théologie. Si Denise Boucher suggère que l'Esprit-Saint a violé la Vierge, c'est, dit-on, qu'elle blasphème et non qu'elle s'exprime littérairement. Étrange contraste», constate un lecteur du *Devoir*[11]. Le jour même de l'injonction, Michel Roy écrit dans le même journal: «[L']auteur aurait pu atteindre le même objectif — aux plans dramatique, idéologique et lyrique — en retirant de son texte les passages que beaucoup de croyants jugent blasphématoires[12].»

Face à la déclaration de Mgr Grégoire, des écrivaines protestent. Francine Déry: «Je m'excuse encore, Monseigneur, d'avoir pris de votre précieux temps. Mais au nom de mes sœurs je vous exhorte à déployer vos énergies à dénoncer l'exploitation de la femme pratiquée chaque jour à Montréal[13].» Quant à Madeleine Gagnon, elle intitule son texte *Quand le pouvoir patriarcal s'en prend aux* Fées et elle précise: «Un pouvoir qui a toujours chargé le terrain des mythologies, religieuses et littéraires, pour que prenne racine l'assujettissement des femmes et ce, de deux façons: d'abord en projetant d'elles des images et des mots qui n'étaient que les effets de la dérive de leurs fantasmes [...]. Ensuite en nous niant le droit de dire qui nous étions, vraiment[14].»

Le pouvoir, à son tour, réplique. Le vicaire général du diocèse de Montréal, Mgr Jean-Marie Lafontaine,

16

demande le «droit au respect» et affirme que «l'action de l'Église a favorisé de multiples manières, tout au long de l'histoire, la libération et le respect de la femme. En tout cas, une étude historique débattant ce point avec sérieux serait certainement plus intéressante que les déclarations à l'emporte-pièce qui résument en quelques phrases simplistes et injustes des siècles d'histoire et de recherche humaine[15]». Ce à quoi Micheline Carrier rétorque: «Il n'y a jamais eu moyen pour les femmes d'interpeller l'Église sans se faire rappeler à l'ordre, car elle refuse d'engager le dialogue avec les femmes et se réfugie derrière la Vérité dont elle semble l'exclusif possesseur, comme si le Saint-Esprit soufflait seulement sur la moitié mâle de l'humanité[16].»

Et ainsi de suite. On crie à l'intolérance, à l'Inquisition. La Commission des droits de la personne rappelle son désaccord de principe avec toute censure et déplore «l'apprentissage laborieux du pluralisme». «Serons-nous bientôt emprisonnés pour avoir laissé échapper un sacre?», se demande-t-on. Chacun y va de son couplet sur sa mère, sa femme ou sa fille qui ne sont pas «comme cela», ou sur celles qui ont «choisi librement *(sic)* ce métier-là parce qu'il paie cinquante dollars aux quinze minutes, ce qui est mieux que la majorité des usines[17]». D'autres se demandent si, au nom de la science et de la raison, il n'est pas temps de revoir le dogme de la «virginité d'une mère[18]». Dans la même ordre d'idées, le père Émile Legault, homme de théâtre bien connu et fondateur des Compagnons de Saint-Laurent, ose dire, à l'émission de télévision *Second Regard*, que la pièce est une «merveilleuse intuition théologique», mais qu'elle est venue dix ans trop tôt. Il atténuera ensuite sa déclaration en avouant qu'il n'aurait jamais fait jouer l'œuvre sans coupures, dans le contexte de 1978.

La pièce vient trop tard, lui répond-on. Elle procède d'une technique surréaliste empruntée à la psychiatrie pour traiter les malades mentaux, soit l'écriture automatique:

> «Quand Borduas publia son *Refus global*, il l'inséra dans un contexte surréaliste et l'écrivit dans un état d'âme tout proche de celui de Denise Boucher. [...] Après cinq minutes des *Fées* je commençai à me dire que l'auteur avait eu tort de ne pas nous présenter ses personnages comme autant de clients d'une clinique psychiatrique. À ce compte, la Madone n'aurait pas été la Vierge Marie en personne *(sic)* mais une malade qui se prend pour la Vierge Marie. [...] Le père Paul-Émile Legault a dit que les *Fées* étaient venues dix ans trop tôt; je croirais qu'elles sont venues dix ans trop tard, alors que le surréalisme est devenu matière à un cours d'histoire et objet d'exposition dans un musée d'art contemporain[19].»

Dans tout ce débat, il semble qu'on ait peu à peu oublié qu'il s'agissait de théâtre («la Vierge Marie en personne», lit-on plus haut). À travers les *Fées*, c'est la parole et le statut — plus encore que la statue — de la femme qu'on a mis en procès. Or, croyons-le ou non, cela ne se passe pas dans quelque tribu isolée du globe, mais au Québec, en 1978. C'était hier. Le scandale, si on tient au terme, n'est pas dans la pièce, mais dans ce qui l'entoure. «Museler la parole des femmes, si radicale soit-elle, n'est-ce pas source de scandale encore au XXᵉ siècle?», déclare le Conseil du statut de la femme qui voit deux principes mis en cause dans cette affaire: «[...] celui de la libre expression des artistes et celui du pouvoir que les groupes sociaux s'arrogent en affirmant que "leurs valeurs sont celles de toute la société québécoise et qu'eux seuls possèdent toutes les vérités élémentaires".»

Le débat théâtral. Qu'a dit la critique à propos de cette pièce? Les comptes rendus des quotidiens sont généralement élogieux. «Au caractère horizontal et glacé de *La nef des sorcières* répond la verticalité généreuse des *Fées*», écrit Bernard Andrès dans *Le Devoir* [20]. "There can be no doubt that les *Fées* really is a theatrical event of major signifiance", déclare Maureen Peterson dans *The Gazette*. "What is it about les *Fées* that caused all the fuss?" ajoute-t-elle [21]. Étonnement partagé par Raymond Bernatchez, de *Montréal-Matin*, qui dit qu'il n'y «avait pas là de quoi fouetter un chat», et que d'autres pièces sont sûrement plus osées. «Fait-on œuvre malsaine lorsqu'on apporte aux humains un message d'amour?», se demande-t-il [22]. «Dans l'ensemble, la pièce est bien construite, d'une structure efficace. La langue drue, acérée, vivante, porte», écrit Pascale Perreault dans *Le Journal de Montréal* [23]. «Plus qu'une pièce de théâtre, au sens traditionnel du terme, *Les fées ont soif* se révèle être une plainte, un cri, un réquisitoire à saveur féministe et de nature foncièrement poétique», écrit Martial Dassylva dans *La Presse* [24]. Dans *Le Soleil*, Nicole Campeau parle d'un «grand cri de révolte et d'amour», d'«une sorte de collage lyrique de monologues et de chansons [25]». Tous sans exception louent le dispositif scénique et la musique.

D'autres, tel Pierre Nepveu, accuseront l'auteur de proposer «un discours monolithique, sans complexité, sans mouvement dialectique» et une «dénonciation unilatérale des hommes, alors que ceux-ci sont plutôt bien disposés à battre leur coulpe par les temps qui courent [26]». Dans la revue *Relations* l'analyste Jean-René Éthier déclare péremptoirement: «Or il ne peut y avoir, au théâtre, scandale que si vraiment il y a théâtre. Avec les *Fées* on n'est pas au théâtre [27].» Pour l'auteur de l'article, «il s'agit bien d'un texte poétique mis sur scène plutôt que d'un texte théâtral mis en scène». Donc, croyez-le ou non, il n'y a pas eu de scandale…

Qu'en pense la critique moins immédiate? Quelques mois après les représentations, Denise Beaudoin parle, dans *Jeu*, «d'un long poème lyrique de la femme à la recherche de sa voix[28]». Dans la même revue, Lorraine Camerlain écrit: «Denise Boucher, par son écriture à la fois poétique et crue, a fait avancer d'un pas le théâtre des femmes[29].» Dans *l'Art dramatique canadien,* Paul Lefebvre considère que la représentation de la Vierge est une «intéressante idée dramatique», mais prétend qu'«à côté de cette vision originale et révolutionnaire Denise Boucher est retombée dans les vieux clichés féministes pour ce qui est de la mère et de la putain (Marie/Madeleine)[30]». Dans le même numéro, Pierre Godin conclut à l'efficacité de la pièce, comme Caroline Barret et Denis Saint-Jacques l'avaient fait dans *Lettres québécoises*[31].

Pour Jean Cléo Godin, «le texte est peu clair et, finalement, peu original[32]». En 1982, dans *Voix et images*, une analyse d'André Smith suggère que «pour l'amateur de théâtre, les héroïnes de Denise Boucher et Françoise Loranger sont plus convaincantes aliénées que libérées. Cela ne surprend guère. On sait depuis longtemps que les personnages littéraires sont captivants dans la mesure où ils ont des obstacles à surmonter[33]».

De diverses façons et par différents biais, on a ainsi cherché à exclure les *Fées*. D'un discours culturel d'abord, amateur de belles phrases et de beau langage. D'un discours social articulé sur le religieux ensuite, car la pièce s'attaquait à un tabou et à un mythe profondément ancrés dans l'histoire des peuples. D'un discours spécifiquement théâtral enfin, dans la mesure où certains — tous des hommes —, définissant la norme esthétique (théâtre/poésie), décrétaient l'absence du dramatique par l'intrusion du poétique. Les *Fées* déjouaient les modèles et les conventions de genre, chose qui, du point de vue de la critique féminine, était considérée comme une plus-value: la mixité des formes n'est-elle pas l'un des paramètres les plus constants de la création au féminin? Pendant ce temps, le public, nombreux, applaudissait à tout rompre.

Cette «affaire» repose sur un paradoxe ou sur une double tactique qui consiste à discréditer la pièce, d'une part, à la déréaliser sur le plan du code théâtral, et, d'autre part, à avoir peur de ses effets, donc à avouer son efficacité. La question à élucider est simple et pourrait s'énoncer ainsi: comment un «déjà vu» jugé peu dramatique peut-il être en même temps un boomerang? On sait que le critère esthétique était aussi intervenu, en 1948, pour neutraliser la révolte des artistes. Pourtant, en 1978, presque personne ne perçoit la pièce de Denise Boucher comme un manifeste, sinon par dérision[34].

Pour conclure cette croisade moyenâgeuse, laissons la parole, une fois de plus, à un témoin de l'époque: «Tout ce branle-bas de combat, qui s'est organisé pour empêcher l'expression de ce long cri de douleur et de détresse de la femme, indique à quel point la diffusion de créations comme *Les fées ont soif* est nécessaire, plus que jamais[35].»

En 1984, reprise sous forme de lecture publique lors de la visite du pape, la pièce reçoit une critique favorable dans *La Presse* et dans *La vie en rose*. On la considère toujours d'actualité. Nul scandale ne point à l'horizon.

Le féminin aurait-il enfin acquis droit de cité? Apparemment oui, même si les regroupements ne sont plus à la mode. Le magazine *La vie en rose* a fermé ses portes en 1987. Une librairie, l'Essentielle, a remplacé la Librairie des femmes d'ici. Pourtant que de chasses-gardées masculines, un peu partout dans l'institution littéraire et culturelle québécoise! Combien de femmes sont encore confinées à des rôles de soutien où l'on ne craint pas de leur faire toute confiance! Leur parole, lorsqu'elle s'exprime à voix haute, a droit à une écoute polie, mais se trouve vite enterrée par des voix plus fortes, plus autorisées, plus autoritaires. «Publiquement, écrivait récemment Francine Déry, l'acceptation globale de l'écriture des femmes par les bonzes allait de soi. Cette nouvelle forme d'imaginaire, cependant, était attribuable à une manifestation fantaisiste des femmes qui ne devait pas porter à conséquence. Pourvu que la mode puisse passer très vite et que l'on rende ses plumes à Pierrot[36].»

Aussi Denise Boucher avait-elle raison de dire, lors de la conférence de presse du 7 juin 1978:

> «Je peux bien vous le dire, je crois que je jouis. C'est une chance extraordinaire de connaître ainsi la censure officielle.
> Ça permet de porter le débat sur la place publique. J'en connais tant des hommes, et tant et tant de femmes dont la censure a été le silence sur leurs œuvres. Censure plus opprimante et plus morbide que toutes les paroles.»

Tout succès de scandale est un succès piégé, extrêmement difficile à porter et rarement recherché comme tel. N'empêche que celui des *Fées* a permis d'écrire une page importante de l'histoire culturelle québécoise: cette société ne s'était-elle pas profondément leurrée sur la somme de ses acquis? sur son rapport au féminin? sur son pluralisme? et, surtout, sur son laïcisme? Relire les *Fées* en 1989, c'est s'apercevoir que les archétypes que la pièce met en jeu sont — hélas — tout aussi prégnants. Les statues de plâtre ont des socles lourds, dressés au cours des siècles par la noire cohorte de la pensée mâle célibataire. À quand la récupération joyeuse de ce manifeste, comme c'est le cas aujourd'hui pour le texte de 1948?

Lise GAUVIN

NOTES

1. Texte liminaire de l'édition originale, Intermède, 1978.
2. Texte liminaire.
3. *Cf.* à ce sujet, J. Demers et Line Mc Murray, *Le manifeste et jeu/L'Enjeu du manifeste*, Montréal, Le préambule, 1987, p. 146.
4. Ces catégories sont énoncées par Louise Cotnoir et Louise Dupré à propos de *Si Cendrillon*… dans «Femmes scandales», numéro de la *NBJ* préparé par J. Demers et L. Mc Murray, février 1987, p. 23.
5. *Cf.* la citation de Michelet donnée en exergue de la pièce.
6. *La Presse*, 18 juin 1978.
7. *Le Devoir*, 17 juin 1978.
8. *Ibid.*
9. Lucien Beauregard, *Courrier du Sud*, Longueuil, 7 juin 1978.
10. *Le Devoir*, 27 septembre 1978.
11. Hubert Wallot, *Le Devoir*, 13 décembre '1978.
12. *Le Devoir*, 4 décembre 1978.
13. *Le Devoir,* 6 décembre 1978.

14. *Le Devoir*, 8 décembre 1978.
15. *Le Devoir*, 14 décembre 1978.
16. *Le Devoir*, 28 décembre 1978.
17. E. Robillard, *loc. cit., La Presse*, 15 décembre 1978.
18. Bernard Larivière, Saint-Colomban, Québec, *La Presse*, 15 décembre 1978.
19. Edmond Robillard, de l'Académie canadienne-française, *Le Devoir*, 18 décembre 1978. S'agit-il du même que celui qui signe l'article déjà cité?
20. *Le Devoir*, 17 novembre 1976.
21. *The Gazette*, 17 novembre 1978.
22. *Montréal-Matin*, 15 novembre 1978.
23. *Le Journal de Montréal*, 15 novembre 1978.
24. *La Presse*, 15 novembre 1978.
25. *Le Soleil*, 18 novembre 1978.
26. *Le Devoir*, 16 décembre 1978.
27. *Relations*, 18 janvier 1979.
28. *Jeu* été 1979, p. 185.
29. *Jeu* 16, 1980-1983, p. 218.
30. Vol. V n° 2, automne 1979.
31. *Lettres québécoises*, février 1979.
32. *Livres et auteurs québécois 1978*, p. 162.
33. *Voix et images*, vol. VII, n° 2, hiver 1982, p. 384.
34. La pièce est classée comme manifeste dans l'ouvrage de J. Demers et Line Mc Murray.
35. Monique Le Payeur, *Le Soleil*, 27 janvier 1979.
36. Dans «Femmes scandales», *op. cit., p.90*.

PRÉFACE

Tandis que se tenait à Bruxelles en novembre 1979, une rencontre féministe internationale, avaient lieu, à quelques pas, au théâtre de l'Esprit frappeur, les répétitions de la pièce de Denise Boucher. J'allais et venais de l'un à l'autre de ces lieux où des femmes parlaient, dans la conviction que ce qu'il est urgent de comprendre et de mettre au monde est encrypté dans le corps féminin, l'*hyster* étant sans aucun doute le lieu commun de tout mystère; à ce double éclairage, une chose me devenait de plus en plus évidente: ce que mon écriture s'obstine à désinhiber, à lire pour donner à lire, c'est l'archive du vivant qu'est l'imaginaire féminin. Mémoire coupée de sa langue, hystérisée au nom de la vérité trinitaire du Père, du Fils et du Saint-Esprit, elle a tout à révéler du commencement.

À l'origine de ma présence à ces répétitions, il y avait eu, l'été de 1979, à Montréal, ce rendez-vous décisif avec les *Fées*. J'étais retournée cinq fois au Théâtre du Nouveau-Monde, comme aimantée par la voix qui s'y était mise à parler haut et cru, avec une superbe franchise. Parole d'urgence, la parole de Denise Boucher est de celles qui montent de l'incontrôlable, de l'incensurable, parole de santé, poésie virulente, hautement contagieuse. Ce qui se mettait à se dire là, devant nous, entre nous, à se faire publiquement, scandaleusement chair, c'est le verbe de la vraie vie, la voix retrouvée du «nu perdu» dont nous avons été, garçons et filles, sevrés au nom de l'Histoire, quelque part entre l'enfance et l'adolescence.

Ce que cette parole sourcière me rendit à la fois sensible et intelligible, c'est l'origine biologique de ces «rendez-vous à la grotte avec une dame blanche», avec cette Immaculée Conception de la vie dont témoignaient à la veille de leur puberté des petites filles simples en qui la nature parlait encore, des petites filles qu'on disait possédées de Dieu ou du diable parce que leur corps s'était mis à leur parler sa langue d'origine. Ces apparitions dans leur imaginaire en mue ne témoignaient-elles pas de la femme encore diaphane qui se déploie de l'autre côté du miroir des filles? Il y eut des petites filles qui n'étaient pas modèles et qui s'enchantèrent de la nymphe qui les érotisait, de la vierge blanche ou noire préfigurant la femme papillon qui s'impatientait dans sa chrysalide; des Alice, des Lilith à l'imagination débordante qui prêtaient à celle qu'elles se voyaient devenir une poésie venue d'on ne sait quel fabuleux pays, bien troublante pour l'imagination des garçons, eux aussi en proie aux métamorphoses pubertaires... Pensée magique aussitôt taxée de nymphomanie par la raison mère que durcit l'approche d'Éros.

Il y eut à Lourdes, à Fatima, à Saint-Bruno et sous d'autres cieux, des petites filles dont l'imagination tôt conditionnée n'avait d'autre langue pour traduire l'extase révélatrice d'elles-mêmes que la symbolique autorisée par le catéchisme et l'Écriture sainte. Ainsi, leurs premiers ravissements naturels étaient-ils mystifiés, détournés, portés au compte du surnaturel. La présence intérieure qu'elles voyaient et entendaient ne pouvait être que celle de la Vierge Mère dont le culte est si manifestement la clé de voûte de l'empire monothéiste qu'il devint l'objet d'un dogme. À partir de ce modèle statufié du destin féminin, il ne pouvait y avoir au sommaire de l'imaginaire patriarcal mis en scène par Denise Boucher que la statue référentielle de la Sainte Vierge flanquée à sa droite de la mère, à sa gauche de la putain: entre elles, une séculaire absence de communication, une distance apparemment infranchissable que nous allions voir se fondre comme neige au soleil, une différence muette qui allait miraculeusement, catastrophiquement retrouver sa voix.

Toucher au dogme de l'Immaculée Conception, c'est toucher au dogme du péché originel, c'est donc attenter au fondement même de la civilisation monothéiste. Briser spectaculairement la statue de l'Immaculée, comme on briserait un corset de plâtre ou une chrysalide fossilisée, c'est rendre la parole à la «postérité du serpent» maudite par le Dieu de la Bible, c'est délivrer le verbe d'une poésie métamorphique que des siècles d'exil et d'inquisition ont rendue majeure. C'est à cette fête iconoclaste, à cet acte de santé mentale que les *Fées* nous conviaient. Ce que ces sorcières sorties de leur personnage diurne brûlaient chaque soir sur les planches, c'est le fantôme de l'Inquisiteur, sous la forme de ce gros oiseau incrédible qu'est devenu le Saint-Esprit. Il fallait oser faire de ce phallus ailé un accessoire de théâtre! Après l'audace du Nouveau-Monde à Montréal, celle de l'Esprit frappeur à Bruxelles: quel irrésistible clin d'œil entre Amérique et Europe!

Il n'y a pas de violence plus bénéfiquement subversive que la joie des femmes quand elle explose. La véritable matière à scandale, ce qui, dès la première de la pièce, excita si furieusement les organes de la censure, ce fut sans doute cette communicative joie des *Fées*. Ils perçurent cette œuvre comme un outrage à la *mater dolo-*

rosa, une sorte de sabbat diabolique où se perd publiquement le sens du péché en même temps que la sacro-sainte
distance sociale entre la mère et la putain, l'une se met-
tant dans la peau de l'autre. Naissance spectaculaire d'une
contagieuse santé où la tête, le cœur et le sexe se récon-
cilient pour se faire corps intelligent, capable d'imaginer
parmi les ruines de la Cité patriarcale l'avènement d'une
cité fraternelle où l'ordre dynamique engendré par le principe de réciprocité de *je* et de *l'autre*, succéderait à l'ordre
statique garanti par le principe de raison duelle.

Les fées ont soif n'est pas une œuvre de fiction, c'est
la mise en scène de la violente irruption de la vie réelle
dans l'imaginaire de trois femmes confinées dans un rôle
traditionnel dont elles sont irréversiblement excédées. Lit-
téralement un coup de théâtre, un coup de foudre, un coup
de cœur après quoi «il n'y aura plus jamais rien de pareil»,
en tout cas pour ceux qui furent irradiés par cette résur-
gence d'enthousiasme pythique.

Après tant de siècles d'amnésie et d'aphasie qui firent
du trou de mémoire génétique la condition fondatrice du
patriarcat, voici que la «santé du serpent», scandaleuse
vérité sortant toute nue du puits de l'inconscient, se
retrouve à l'œuvre dans la confidence mutuelle de trois
femmes exaspérées par le manque d'authenticité de leur
existence, rendues ensemble à la fontaine de leurs larmes,
à la source commune de leur malheur. Il nous est alors
donné d'assister, ou plutôt de participer à l'éveil d'une
lucidité partagée qui, à travers les ruines que ses révéla-
tions provoquent dans l'imaginaire traditionnel, cherche
et trouve sa langue, celle de la résurrection de la chair
après des siècles d'encryptement.

Une tout autre interprétation de la faute, du défaut de
mémoire sourcière qui nous fit tomber de la préhistoire
dans le dualisme historique, est à l'ouvrage dans cette

pièce: ce n'est pas le péché de la chair contre l'esprit mais la violence inouïe du discours de l'esprit contre la vérité de la chair qui nous précipita dans le manichéisme. En muselant le corps des femmes pour fonder son royaume sur la terre comme aux cieux, l'Esprit du Père inventa le haut mal féminin qui vient d'un corps privé de parole. L'hystérie du corps sans parole autorise l'arrogance de la parole sans corps, la froide souveraineté du discours inquisiteur de l'«homme de pierre». Hystérie et histoire patriarcale sont fatalement liées. Où le corps féminin prend la liberté de s'écrire, envers et contre la malédiction de l'Écriture sainte, se défait le conditionnement historique qui fait des humains, dès leur naissance, des dominants ou des dominés. Les grands conservateurs de la tradition sont aujourd'hui conscients qu'au nom de l'ordre patriarcal il faut à n'importe quel prix tenter de réinhiber le franc-parler des femmes, de réhystériser la société à travers l'institution familiale. Des formes inédites d'inquisition sont en cette fin du XXe siècle en train de se mettre en place. La seule chance qu'ont les femmes d'échapper à ces nouveaux pièges, c'est l'intelligence qu'elles incarnent, dans ce monde à bout de souffle, des choses du commencement; leur capacité, lorsqu'elles meurent de soif, de se régénérer aux sources vives de la mémoire.

Ce que ces trois femmes rendues ensemble à la source de leur malheur essaient de comprendre à travers leurs existences de mère, de sainte et de putain, c'est la portée humanisante du réel qui se montre en se cachant derrière la symbolique étreinte de la Sainte Vierge et du Saint-Esprit; voulant en finir avec ce défaut de parole *sui generis* qui fonde le discours patriarcal, c'est d'amour réciproque qu'elles se mettent à parler, intarissablement. Dialogue irrésistiblement transgressif qui, de fil en aiguil-

29

le, les amène à l'acte de fermer boutique, de quitter la niche où chacune était enfermée depuis des siècles, pour se mettre à marcher ensemble, à rire ensemble, à se penser ensemble, comme si Godot était arrivé, comme si nous étions nées pour de bon, comme si nous étions prodigieusement vivantes. À vouloir faire commerce ensemble sur les ruines du marché de la place du Temple...

Imagine. Imagine. Imagine. Un projet de communauté des hommes, des femmes et des enfants se met à prendre corps sous nos yeux, dont nous nous reconnaissons peu à peu non seulement actrices et acteurs mais coautrices et coauteurs. Le miracle qui se produit au terme de ce jeu de massacre, c'est que la distance entre auteur, acteur et spectateur se transmue en commune passion de la vie par laquelle on se laisse soulever et emporter, à moins d'être de ces esprits chagrins allergiques à l'enthousiasme.

«La poésie sera faite par tous», à condition d'être honorée par chacun dans sa vie quotidienne, quoi qu'il lui en coûte: prédiction dont Denise Boucher s'est fait à travers cette pièce une philosophie.

Claire LEJEUNE

CRÉATION DE LA PIÈCE

Les fées ont soif a été créée au Théâtre du Nouveau-Monde, le 10 novembre 1978.

Mise en scène	Jean-Luc Bastien
Décors et costumes	Marie-Josée Lanoix
Musique	Jean-François Garneau
Arrangements musicaux	Claire Bourbonnais et Jean-François Garneau
Musiciennes	Claire Bourbonnais et Marie Bélanger
Éclairages	Claude-André Roy
Distribution	
La Statue	Louisette Dussault
Marie	Michèle Magny
Madeleine	Sophie Clément

PROPOS SUR LA MISE EN SCÈNE

Avec *Les fées ont soif*, si on parle de conception, il faut d'abord voir un texte qui n'est pas écrit théâtralement de façon conventionnelle. Il faut donc initialement décoder le sens du texte. Pour moi, il s'agit ici de la prise de conscience des femmes.

Si la forme de ce texte est poétique, il ne doit pas être joué *poétique*.

L'émotion est le fil conducteur de chacun des personnages: la statue, la mère, la putain.

Ces personnages sont des archétypes.

Dans ce jeu, les comédiennes sortent souvent de leur personnage pour réfléchir dans des lieux neutres.

Au niveau de certaines données techniques, il m'apparaît évident que la statue doit exister. Qu'elle soit de carton, de tulle ou de fibre de verre.

L'un des lieux neutres prévus doit être privilégié à l'avant-scène, afin de mieux marquer les prises de conscience les plus importantes du spectacle. Ce sera aussi le lieu de la finale. Plus les prises de conscience prennent de la puissance, plus elles sont jouées loin du lieu initial des personnages.

Toutes les chansons doivent être présentées et elles sont toujours chantées dans un lieu neutre.

33

Ce texte doit être joué dans la sobriété et la simplicité et il y serait mal venu, il me semble, d'y ajouter beaucoup d'artifices sonores. Ce n'est pas une comédie musicale.

Toute la conception de la mise en scène est basée sur la réflexion intérieure des personnages. C'est une réflexion vivante et en action. Les rares scènes réalistes y sont stylisées. Par exemple, les trois filles se font violer en même temps, même si elles disent les textes des hommes.

Comme chaque femme y est en même temps toutes les femmes, les personnages doivent être, à la fin, vêtus de la même façon mais pas nécessairement dans les mêmes couleurs.

Dans ce rituel, l'éclairage doit aller chercher chacun des personnages, le suivre individuellement et l'isoler au besoin.

Quand le décor est très élaboré, la statue est presque sur un immense autel et les lieux de la mère et de la putain sont deux autres petits autels à un autre palier. À la fin du spectacle, toute l'iconographie disparaît. Ce qui reste du décor devient un lieu neutre.

Je vois ce spectacle dans un décor simple et sans entracte. Il pourrait tout aussi bien être joué sur trois podiums noirs.

Jean-Luc BASTIEN

À Michèle Rossignol
et à Rose Rose.

Que furent les fées? Ce qu'on en dit, c'est que, jadis, reines des Gaules, fières et fantasques à l'arrivée du Christ et de ses apôtres, elles se montrèrent impertinentes, tournèrent le dos. En Bretagne, elles dansaient à ce moment, et ne cessèrent pas de danser.

Michelet,
La sorcière.

AVANT-PROPOS

Depuis les genoux de mon enfance, le personnage de la Sainte Vierge s'est promené dans mon corps et dans ma tête. La femme Marie me hantait. Où était-il possible de la rencontrer? On l'avait affublée de tant de plâtre et de marbre et de glaives pour la sortir de sa condition humaine. Toute une culture d'hommes célibataires avait projeté et transféré ses fantasmes de virginité sur la mère de Jésus et toutes les autres femmes. Une culture d'hommes qui n'a fabriqué qu'un seul archétype de référence aux femmes, celui de la vierge. Une femme qui ne jouit pas, c'est une vierge. Qu'elle soit mère ou putain. Les femmes ont été exilées de la jouissance de leur corps. Celles qui jouissent quand même vivent sur du temps emprunté et un honneur volé.

La bonne et la mauvaise vierge continuent de marquer la réalité des femmes. *Elle* avait toujours voulu être une dame. Ne sachant pas que l'on pouvait être une femme.

Qui suis-je moi qui n'ai jamais été?

Denise BOUCHER

Chaque personnage est dans son lieu respectif.

LA STATUE
Je suis le désert qui se récite grain par grain.

MARIE
Je file un bien mauvais coton. Est-ce que je pourrais changer de peau? Est-ce que je pourrais me chercher ailleurs?

MADELEINE
Je pigrasse sur place. La vie me fait cailler.

LES TROIS ENSEMBLE, *sur un air de chant grégorien.*
Ain ain ain ain
Ain ain ain ain
Ainsi sont-elles
Ain ain ain ain
Ain ain ain ain
Ainsi sont-elles

LA STATUE
Je suis le léchage de la dénégation.

MARIE
Je suis la sauce à plume de l'objet de vos enquêtes socio-
logiques.

MADELEINE
Je suis une bien vilaine sujette.

LA STATUE
Qui est-ce qui pèse comme ça sur mes épaules?

MARIE
J'suis tannée de prendre des Valium!

MADELEINE
J'ai ben d'la misère à me r'mettre de ma brosse d'hier!

MARIE
Qui suis-je qui serai comme si je n'avais jamais été?

MADELEINE
Sur le poêle, le café fait des bruits d'entrailles.

MARIE
Entendez-vous la musique des vieilles casseroles trouées?

LA STATUE
Les voiles du temple claquent comme de vieux drapeaux
mouillés. *(Silence.)*
Le temps est lourd ce soir.

MARIE
Je m'appelle Marie. Ils glorifient mes maternités, et pourtant moi ils ne peuvent pas me souffrir.

MADELEINE
Je suis la celle au grand cœur. Qu'ils disent. Eux. Qui
est-ce qui se donne pour se faire aimer de moi?

LA STATUE
Je suis le désert qui se récite grain par grain. Jour après
jour.

MARIE
J'pense que j'vas prendre des Valium.

MADELEINE
Chus tannée d'boire.

MARIE
C'toujours pareil. Y a jamais rien qui change. Moi qui
pensais que j'ferais mieux qu'ma mère.

LA STATUE
Qui ça, moi?

MARIE
Je ne suis pas rendue beaucoup plus loin qu'elle.

MADELEINE
Que cé qu'tu voudrais qui change? Nous autres, peut-être?

MARIE, *en riant.*
Et nous vîmes les victimes se mettre à changer.

> *Elles quittent leur lieu respectif pour aller vers*
> *un lieu neutre.*

43

CHANSON D'ERRANCE

MARIE, MADELEINE ET LA STATUE

Si cette chanson vous semble
Paroles tristes et amères
Voix de grandes désillusions
Mots de pertes et de défaites
Prenez pitié de nous
Prenons pitié de vous

La vérité est en exil
La beauté loin en péril
L'amour est très malade
Nous sommes à la recherche
De nos corps, de nos cœurs, de nos têtes

Nous voilà à demi vivantes
Femmes tues, femmes battues
Aliénées, outragées
Toutes passions brûlées, et la douce
Pénélope a son voyage

Nos amants ahuris pâlissent
Nos mères détournées de leurs corps
Nous ont privées de nos trésors
Nos mains font le plein dans des vides
Les vagues meurent pour rien sur nos seins

Si cette chanson vous semble
Paroles tristes et amères
Voix de grandes désillusions
Mots de pertes et de défaites

Prenez pitié de nous
Prenons pitié de vous

Nous sommes des femmes égarées
Folles, démentes, étrangères
Que faisons-nous sur cette terre
Violente et scandaleuse?
Est-ce qu'on peut changer une destinée?

MADELEINE
Nous en appelons à toi, Jeanne
À toi Marie, à toi Louisette
À toi Dominique, à toi Katerine
À toi Hélène, à toi Francine
À toi Justine, à toi Philippe

MARIE
Nous en appelons à toi Pauline
À toi Carmelle, à toi Michèle
À toi Solange, à toi Sylvie
À toi Justine, à toi Christiane
À toi Sophie, à toi Jean-Luc

LA STATUE
Nous en appelons à toi Simone
À toi Colette, à toi Véronique
À toi Janou, à toi Luce
À toi Jeanne-d'Arc, à toi Rachel
À toi Yvonne et à toi Jean-François

Si cette chanson vous semble
Paroles fragiles et sensibles
Voix de grandes espérances
Mots de quêtes et de prières

45

Prenons bien soin de nous
Prenez bien soin de vous

Chacune est dans son lieu respectif.

LA STATUE
Il était une fois, un jour. C'est aujourd'hui et je commence
à déchanter tout l'Angélus.

MARIE
Ma maison est propre, propre, propre. Je m'appelle
Marie. Je fais des commissions. Tu m'as rencontrée dans
les centres d'achats.

MADELEINE
Je jette les spermatozoïdes par les fenêtres. *(Silence.)* Je
regrette, vos trois minutes sont écoulées. *(Silence.)* Dans
mon sang de pleine lune dégoutte tout le temps chacun
de vos enfants. Pauvre patrie.

LA STATUE
Comme je disais à Fatima: «Pauvre Canada!»

MADELEINE
Je regrette, vos trois minutes sont écoulées.

MARIE
Dans les centres d'achats, ils vendent des beaux costu-
mes de bain. Des petits bikinis. *(Silence.)* Je ne pourrai
jamais être seule au bord de la mer. J'ai trop peur. Les
vagues roulent vers moi. Elles veulent me parler. Je ne
voudrais jamais être seule au bord de la mer. J'ai trop
peur. Les vagues pourraient me ramasser dans leurs plis

46

et m'amener là où je ne voudrais jamais aller. Je suis une femme de peine.

LA STATUE
La peine de qui?

MARIE
J'écoute mon transistor. Je vais en Floride l'hiver avec mon mari. Il joue au golf.

LA STATUE, *en chantant.*
Un jour, mon prince viendra.

MADELEINE
À l'école de redressement, elles m'avaient dit: «Madeleine, fais une femme de toi.» Je n'ai jamais su ce que ça voulait dire. *(Silence.)* Je suis le fleuve brun des grandes débâcles. Du café séché au fond d'une tasse que personne n'a jamais lavée. Je suis un trou. Je suis un grand trou. Un grand trou où ils engouffrent leurs argents. Un grand trou enfermé dans un rond enfermé dans un cercle qui me serre la tête. J'ai pas les yeux en face du trou. Il y a des jours où je voudrais croire à l'amour. Avant de me laisser partir dans le monde, à l'école de redressement, ils ont décidé de me faire soigner. Le p'tit chiatre *(prononcer: chi),* il voulait coucher avec moi. J'trouvais ça drôle d'ailleurs pour un voyeur. Ben, j'lui ai dit: pour toi, mon tarla, ça s'ra mille piasses. D'la *shot.* Y a trouvé que j'étais grave. Y a dit que j'étais irrécupérable. Pis, y a plus voulu me voir. C'est ainsi que je suis devenue fille de joie.

LA STATUE
La joie de qui?

MADELEINE

Il y a des jours où il y a quelque chose en moi qui voudrait croire à l'amour.

LA STATUE, *en chantant.*
Un jour, mon prince viendra.

MARIE

À douze ans, qu'est-ce que je voulais? L'adolescence est une maladie. Mieux vaut ne pas s'en souvenir. Moins j'aurai de désirs, plus je serai une adulte. Ne craignez rien. Je crois que je n'ai plus *aucun désir.* Que ceux que vous me donnez. Dans les découvertes, ce qui m'intéresse, ce sont les nouveaux savons qui rendent le linge encore plus blanc, plus propre. Du savon à vaisselle qui garde les mains douces. Comme si vous ne la faisiez pas. Qu'est-ce que je demanderais de plus à la vie? *(Silence.)* Et des maris, il y en a des pires que le mien. Et à quoi ça sert un mari?

MARIE, *en chantant dans son lieu neutre.*

MON PÈRE M'A DONNÉ UN MARI

Mon père m'a donné un mari
Boum badiboum boum barbarie
Il me l'a donné si petit
Spiritum sanctum eliminum boum ba
Zim boum barbarie

Que dans mon lit je le perdis
Boum badiboum boum barbarie
Oh, chat! oh, chat! c'est mon mari

48

Spiritum sanctum eliminum boum ba
Zim boum barbarie

MADELEINE

Moi, j'suis pas une fille à ramasser des souvenirs. Les boîtes de portraits et de lettres d'amour attachées avec un p'tit ruban rose. *(Silence.)* Pour ce que j'en ai reçu d'ailleurs! *(Silence.)* Mais j'n'ai eu quand même quelques-unes: «À toi pour toujours, si tu voulais...» *(Silence.)* Mais, il y a deux affaires que j'ai conservées. Ma première poupée en guenilles. J'l'appelais comme moi. J'l'appelais Madeleine. Ma belle p'tite Mad'leine. J'ai gardé aussi la première paire de draps où je me suis fait payer pour rentrer d'dans. C'te journée-là, j'ai débaptisé ma poupée et j'l'ai serrée dans une boîte. Pis dans une autre boîte, j'ai mis de côté ces draps-là. Plein d'mazout. J'les ai gardés pour les rendre. Pour les r'donner à c'te gars-là. J'me dis qu'un jour j'vas le r'voir pis que j'vas y r'mettre. Puisqu'y a payé pour. Ça lui appartient ces maudits draps-là. J'suis sûre que j'vas le r'voir. M'as y r'mettre. J'voudrais ben voir la tête qu'i va faire.

LA STATUE, *au lieu d'un chapelet, elle a une grosse chaîne entre les doigts.*
Moi, je suis une image.
Je suis un portrait.
J'ai les deux pieds dans le plâtre.
Je suis la reine du néant.
Je suis la porte sur le vide.
Je suis le mariage blanc des prêtres.
Je suis la moutonne blanche jamais tondue.
Je suis l'étoile des amers.
Je suis le rêve de l'eau de Javel.
Je suis le miroir de l'injustice.

Je suis le siège de l'esclavage.
Je suis le vase sacré introuvable.
Je suis l'obscurité de l'ignorance.
Je suis la perte blanche et sans profit de toutes les femmes.
Je suis le secours des imbéciles.
Je suis le refuge des inutiles.
Je suis l'outil des impuissances.
Je suis le symbole pourri de l'abnégation pourrie.
Je suis un silence plus opprimant et plus oppressant que toutes les paroles.
Je suis le carcan des jaloux de la chair.
Je suis l'image imaginée.
Je suis celle qui n'a pas de corps.
Je suis celle qui ne saigne jamais.

MARIE, *en chantant* Le pont de l'île *de Félix Leclerc.*
Il a juste effleuré ma bouche
Comme fait le vent, le vent qui ment.

Marie retourne dans son lieu.

LA STATUE
On m'a donné un oiseau comme mari. On m'a dérobé mon fils de siècle en siècle. On lui a donné un père célibataire, jaloux et éternel. On m'a taillée dans le marbre et fait peser de tout mon poids sur le serpent. Je suis le grand alibi des manques de désirs. On m'a donné un oiseau comme mari. On m'a taillée dans le marbre et fait peser de tout mon poids sur le serpent. *(Silence.)* Personne ne brise mon image. On me recommence sans cesse. Qui dévisagera mon image? N'ai-je point quelque part une fille qui me délivrera? Qui me déviergera?

50

La statue échappe son chapelet qui fait un bruit
énorme, disproportionné par rapport à la réalité.

MADELEINE
Une muette, ça ne parle pas. Et pourtant, j'entends du bruit.

LA STATUE
Au nom de la queue et du père et du fils.
Brrr! Le fond de l'air est cru. C'est humide dans ma statue. Je suis dans l'arbre. Avec les nids. Je me regarde
me regarder avoir été Ève. Je me regarde le regarder avoir
été Adam. Je me regarde regarder ce qui n'a jamais existé.
Je me regarde regarder sa pomme d'Adam, qui monte et
qui descend de plus en plus vite à mesure qu'il m'entend.

MARIE
J'ai dans la gorge un chant. J'ai dans la gorge un chat
qui mange mon chant. J'ai dans la tête une idée. J'ai dans
la tête un ordre qui mange mon idée.

MADELEINE, *en allant vers le lieu neutre.*
J'ai sur le bord du cœur une crotte qui m'empêche de tur-
luter. J'ai les pieds englués dans une marde qui m'empêche de giguer ma liiiiiiiiiiiiiberté.

MARIE, MADELEINE ET LA STATUE
Ma liiiiiiberté. Parce que.

LA CHANSON DE MADELEINE

MADELEINE
Les gars me r'gardent pu
J'ai perdu au moins vingt livres

51

Ma maman m'écrit pu
J'boé la boésson qui délivre.

Mes amies sont tout' mariées
Moi vraiment j'ai pas pu
Jamais rêvé d'la blanch' épousée
Comme la mort je l'ai dans l'cul

J'avais peur d'faire des enfants
L'ai jamais dit à mes amants
Quand j'me suis fait avorter
J'leur ai pas dit non plus

J'ai pas trouvé l'gars pour moé
Y doé pourtant exister
C'est en buvant que je l'attends
Avant que j'aye mes soixante ans

À moins que j'part' en ville
Où y en a plus de sortes
J'pourrais tomber sur un étranger
Quetchose de pas trop pire

Mais chus rien qu'une putain
Qui déparle de temps en temps
Qui voudrait bien se fair' appeler maman
D'un bon mari comme amant

LA STATUE
Pour parler il faut descendre de l'arbre.

> Madeleine et Marie se parlent comme d'un balcon à l'autre.

52

MADELEINE

Mon Dieu, vous êtes tu seule, vous aussi. On prend-tu un coup ensemble? Venez donc prendre une bière avec moi.

MARIE

J'vous r'mercie, mais j'peux pas. J'peux pas mélanger avec les Valium.

MADELEINE

J'vas prendre un coup tu seule. J'ai l'habitude. J'suis habituée d'abord. *(Silence.)* J'prends pas d'clients aujourd'hui. J'ai pas d'affaire à vous l'cacher. J'pense que vous avez compris ce que j'faisais. *(Silence.)* J'suis fatiguée aujourd'hui. J'ai comme les bleus. Ça m'prend un' coupl' de fois par année. D'habitude j'réussis à tasser ça au fond d'moi. Mais, de temps en temps, ça r'monte tu seul, comme un noyé. *(Silence.)* C'est p't'être mes règles. Moé, quand j'suis malade, c'est ben simple…

LA STATUE *comme une voix de commercial à la télé, elle va dans son lieu neutre.*
Ces jours-là, madame, grâce à Tantax, sentez-vous libre! Faites de l'équitation, jouez au tennis, allez vous baigner! Tantax est discret. Tantax vous protège. Tantax vous laisse pleine liberté dans vos mouvements. Ces jours-là, madame, utilisez Tantax! Soyez moderne! Soyez libre! Soyez Tantax!

MADELEINE

Ch'sais pas si vous êtes comme moé ces jours-là… mais, ils ne me feront jamais accroire que leurs tampons c'est d'la vitamine ou du Géritol. Moé, dans c'temps-là, chus gonflée, constipée, déprimée. C'pas compliqué, j'm'enferm'rais tu seule dans ma chambre. Pis j'baiss'rais les stores. Vous?

MARIE
C'est pareil. Je l'sais toujours quand ça s'en vient. J'me sens lourde. Pis, y m'sort toujours un bon gros bouton dans l'visage, juste ici. Ces journées-là, j'sors pas.

MADELEINE
Même sans ça, m'semble que vous sortez pas ben ben souvent. M'semble que vous êtes toujours là.

MARIE
J'sors des fois. Mais juste pour aller magasiner. Quand j'en peux plus d'être toute seule. C'est pas compliqué, j'sors quand j'me prends à parler à personne, dans l'vide. Hier matin, j'me suis prise à parler à mon toaster.

MADELEINE, *en riant.*
Mon cher toaster, si je te parle à matin, c'est pour te dire que... *(Rires.)*

MARIE
Vous, vous êtes toujours de bonne humeur, on dirait.

MADELEINE
J'ai pas mal une bonne nature.

MARIE
Moi, il y a une chose que j'ai remarquée, c'est que vous êtes toujours bien habillée. Vous avez aussi toutes sortes de belles bottes.

MADELEINE
Oui, j'ai un paquet d'bottes en cuir et en vinyle. De toutes les couleurs. Des hautes surtout. Vous avez remarqué? C'est plus sexy qu'lé souliers. Plus sexy? J'sais pas pourquoi... *I'll drink to that! (Silence.)* Vous, j'trouve que vous avez l'air fragile.

MARIE
Pourtant, j'ai une bonne santé. Ce doit être l'ennui qui m'donne un air comme ça. J'm'ennuie de plus en plus, on dirait. Quand le ménage est fait... La télévision, ça m'tente de moins en moins. Même les films d'amour. Ch'sais pas quoi faire de ma peau.

LA STATUE
Ils ont dit que la chair était un péché contre l'esprit. Et ils m'ont enfermée au cœur même de la chair de la pomme.

MARIE, *se dirigeant vers le lieu neutre.*
Entre le poêle et le réfrigérateur
Entre le réfrigérateur et le poêle
Je t'attends et je prends ma pilule
Je prends ma pilule
Entre le poêle et le réfrigérateur
Et je t'attends
Entre le réfrigérateur et le poêle
Entre le poêle et le réfrigérateur
Je t'attends et je prends ma pilule
Les murs se resserrent sur moi
Et je prends ma pilule. *(Silence; puis elle retourne dans son lieu.)* C'est curieux. J'ai eu deux enfants et c'est comme si ma chair n'avait jamais été traversée. Où est-ce que je dois retourner en moi pour jouir?

LA STATUE

Pauvre petite fille, tu as peut-être joui. Peut-être que tu
l'as oublié. Ils m'ont rentrée dans ton corps à coup d'images et de médailles, à coup de chantage et de menaces
et de promesses. Il faut que je sorte d'ici! Dans les hôpi-
taux psychiatriques, il y a plein de femmes qui se prennent pour moi.

MADELEINE, *dans son lieu neutre.*

J'ai fait l'amour tel lieu telle place telle
heure avec Don Juan
J'ai fait l'amour tel lieu telle place telle
heure avec Casanova
J'ai fait l'amour tel lieu telle place telle
heure avec Abélard
J'ai fait l'amour tel lieu telle place telle
heure avec Fantômas
J'ai fait l'amour tel lieu telle place telle
heure avec le grand Pan
J'ai fait l'amour tel lieu telle place telle
heure avec Tarzan

Et si je ne suis plus pucelle, je suis encore mordue du
goût de la virginité. *(En chantant.) Blue moon, it is not
fair to be alone.* Moi, je comprends Marilyn Monroe…
Je suis comme elle. En quête de beauté. En quête de toutes les qualités de la séduction. Je me désire belle. Je me
veux désirable. Et, en même temps, il faudrait que je sois
inatteignable. Je voudrais que l'on me trouve transparente.
Virginale. Si virginale. Comme une nonne au visage pâle
et aux petites mains douces. Le couvent. Être préservée
du monde et de sa souillure. *(Silence.)* J'ai essayé dans
mon corps toutes les absences. Je me voudrais maigre et
décharnée. Je me voudrais une charpente d'os veuve de
chair. Je voudrais avoir le moins de corps possible. Je

56

n'ai jamais été assez grêle et fragile et translucide. J'ai toujours trop de corps. Et j'aime le gâteau au fromage!

LA STATUE
Et je mange des pommes. Je mange des pommes. Je mange des pommes.

MADELEINE, *revenant dans son lieu.*
J'ai toujours eu trop de corps pour leur sexe et leurs mains qui demandent et exigent sans cesse. J'ai introjecté, oui, introjecté leurs désirs sans jamais les réaliser. Et j'ai été putain. Pute. Prostituée. Guedoune. J'ai sombré dans leurs folies sans jamais trouver les miennes. *(Silence.)* Ça fait si longtemps que je m'attends.

Chacune est dans son lieu.

LA STATUE
Attendre.

MARIE
Attendre.

MADELEINE
Attendre.

LA STATUE
Parler toute seule.

MARIE
Attendre rien.

MADELEINE
N'aimer personne.

LA STATUE
Parler.

MARIE
Chanter.

MADELEINE
Danser.

LA STATUE
Amour.

MARIE
La gaieté.

MADELEINE
La liberté.

LA STATUE
Attendre.

MARIE
S'ennuyer.

MADELEINE
Pleurer.

LA STATUE
Parce que.

MARIE
Qui suis-je?

MADELEINE
Qui suis-je?

> *Les trois revêtent des camisoles de force en allant vers un lieu neutre.*

LA CHANSON DU CONDITIONNEL

LA STATUE
Disons que je serais la plus belle du monde la plus belle du monde.

MADELEINE
Mettons que je serais la plus fine du monde la plus fine du monde.

LES TROIS ENSEMBLE
Disons que
Mettons que
Disons donc
Supposons.

> *Les trois personnages se parlent l'un à l'autre.*

MARIE
Disons que je serais celle qui ne vieillit jamais.

LA STATUE
Mettons que tous mes cheveux seraient des cheveux blonds.

MARIE
Disons donc que je ne ferais pas penser à ma mère.

MADELEINE

Mettons que j'aurais les longues cuisses des nymphes.
Disons que j'aurais jamais mes règles rouges.

MARIE

Supposons que je ferais des bébés à volonté. Disons que
je serais une épouse d'abandon.

LA STATUE

Mettons que j'aurais l'air d'une sœur. Disons que je serais
une parfaite camarade. Supposons que je ne sentirais
jamais aucune révolte. Disons que j'aurais jamais envie
d'être grossière.

LES TROIS ENSEMBLE

Mettons que je ne serais pas un casse-tête.

MADELEINE

Disons que la plus soumise de tout' ça serait moi.

MARIE

Mettons que je brillerais comme une Sainte Vierge.

MADELEINE

Disons que je deviendrais ton meilleur matelas.

LES TROIS, *en chantant.*
Disons que
Mettons que
Disons donc
Supposons.

MARIE

Penses-tu que j'aurais de la chance?

MADELEINE
Penses-tu que j'aurais de la chance?

LA STATUE
Penses-tu que j'aurais de la chance?

LES TROIS, *en chantant.*
Disons que
Mettons que
Disons donc
Supposons.

MARIE
Penses-tu que le docteur me donnerait mon congé?

MADELEINE
Penses-tu que le docteur me donnerait mon congé?

LA STATUE
Penses-tu que le docteur me donnerait mon congé?

Chacune retourne dans son lieu.

MADELEINE
Y disent tout' que té folle.

MARIE
Y disent tout' que chus folle. Chus pas une folle. Non chus pas une folle. Çartain que chus pas une folle. Pas une folle. Chus pas une folle. Çartain. Çartain que chus pas une folle. Bon Dieu, chus pas folle. Chus pas folle. Chus pas rien qu'une folle. Y vont voir que chus pas rien qu'une folle.

LA STATUE
Y disent tout' que chus une sainte. Chus pas une sainte.
Non chus pas une sainte. Çartain que chus pas une sainte.
Pas une sainte. Chus pas une sainte. Çartain. Çartain que
chus pas sainte. Bon Dieu, chus pas une sainte. Chus pas
sainte. Chus pas rien qu'une sainte. Y vont voir que chus
pas rien qu'une sainte.

MADELEINE
Y disent tout' que chus hystérique. Chus pas hystérique.
Non chus pas hystérique. Çartain que chus pas hystérique. Pas une hystérique. Chus pas une hystérique. Çartain. Çartain. Çartain que chus pas hystérique. Bon Dieu,
chus pas hystérique. Chus pas hystérique. Chus pas rien
qu'une hystérique. Y vont voir que chus pas rien qu'une
hystérique.

MARIE
Mais j'ai peur.

> *Lentement elle se dirige vers le lieu neutre où
> Marie et la statue la rejoignent.*

LA STATUE, *sur un air de comptine.*
Peur.

MARIE
Peur d'être folle.

MADELEINE
Peur d'être seule.

MARIE
Peur d'être laide.

MADELEINE
Peur d'être trop grosse.

LA STATUE
Peur de trop en savoir.

MARIE
Peur de me toucher.

MADELEINE
Peur de trop rire.

MARIE
Peur de pleurer.

LA STATUE
Peur de parler.

MARIE
Peur de faire rire de moi.

MADELEINE
Peur d'être une salope.

MARIE
Peur d'être frigide.

MADELEINE
Peur de jouir.

MARIE
Peur de pas jouir.

MADELEINE
Peur d'être libre.

MARIE
Peur de lui.

LA STATUE
Peur des souris.

LA STATUE
Peur.

MARIE
Frayeur.

MADELEINE
Effroi.

LA STATUE
Épouvante.

MARIE
Parlons, parlons. Parlons. Paroles. Hymnes. Chants. Danses. Rires. Larmes. Tirons sur les murs du silence.

LA STATUE
Ouvrir les battants des mots. Mal par mal. Culpabilité par culpabilité. Peur par peur.

MADELEINE
Peur. Terreur. Frayeur. Effroi. Épouvante. Panique.

MARIE
La peur panique. S'enfle. Se glisse entre tous nos os.

LA STATUE
Ne m'affolez plus.

*La statue retourne dans son lieu. Marie et Madeleine
viennent à l'avant.*

MARIE
Ne me troublez plus!

MADELEINE
Dérange-moé pu!

MARIE et MADELEINE, *elles se jettent à genoux face
au public.*
Oh, grand-maman, comme vous avez une grande bouche!

LA STATUE, *avec une grosse voix en rire de père
Noël.*
Oh! Oh! Oh! C'est pour mieux vous manger, mes enfants!

MARIE ET MADELEINE
Maman, j'ai peur.

Elles se relèvent.

CHANSON DU PÈRE NOËL

MARIE, *dans son lieu neutre.*
Quand tu descends
Dans ma longue
Cheminée
Sans sonner
À la porte
Mon père Noël

65

Y a pas d'cadeaux
Pour moi qui sort   } bis
De ta grand-poche

Vois-tu, j'suis pas faite
Comme une bébelle
Mais le pèr' Noël
Le comprend pas

Et ta fée des étoiles
Gèle dehors
Toute seule
Pourquoi, pourquoi?

La neige
Tombe blanche
Mal-aimée
Mal reçue
Sur l'angoisse

Et la détresse
D'un oiseau
Oublié
Éperdu

Quand tu descends
Dans ma longue
Cheminée
Sans sonner
À la porte
Mon père Noël
Y a pas d'cadeaux
Pour moi qui sort   } bis
De ta grand-poche

J'suis pas partie
J'suis donc pas partie
Quand même
Quand même
J'avais pensé
Que des enfants
Nous r'coudraient
Nous r'fraient amis
Des beaux petits

J'm'ennuie de toi
J'm'ennuie de moi
D'nos amours
D'nos amours

Abandonnée
Ta fée
Gèle dehors
Toute seule
Toute seule
J'avais cru au père Noël.

> *Marie retourne dans son lieu. Elle pleure. Elle est abattue et recroquevillée. Madeleine vient à elle.*

MADELEINE
Mon Dieu, Marie, qu'est-ce qui t'arrive?

MARIE
Il est entré saoul à matin. Il voulait son petit déjeuner tout d'suite.

La statue et Madeleine jouent toutes les deux le
mari dans un lieu neutre.

LA STATUE
Grosse épaisse!

MADELEINE
Les toasts brûlent!

LA STATUE
Imbécile!

MADELEINE
Té ben maladroite!

MARIE
J't'ai attendu tout' la nuit.

LA STATUE
Sais-tu comment tu m'coûtes en pain brûlé par année?

MARIE
J'ai pas pu fermer l'œil.

MADELEINE
Té-tu vu la face?

MARIE
Marcel, Marcel, j't'ai attendu toute la nuit. J'ai pas pu
fermer l'œil. J'étais inquiète. Tu rentrais pas. J't'ai
attendu.

MADELEINE
À m'a attendu! Té ben masochiste d'attendre de même.

LA STATUE
Es-tu folle? Tu r'sembles à ta mère!

MADELEINE
Décrisse, câlisse!

LA STATUE
J't'ai assez vue!

MADELEINE
Niaiseuse!

MARIE
Marcel, Marcel.

LA STATUE
J'trouve pas d'chemise propre.

MADELEINE
Où cé qu'i sont, mes bas?

MARIE
Marcel, Marcel.

LA STATUE
Tu t'es encore rasé l'poil d'en d'sour des bras avec mon
rasoir, crisse de folle.

MARIE
Marcel, Marcel...

MADELEINE
Y viens-tu, mon déjeuner?

LA STATUE
Pis apporte-moé une bière en attendant.

MADELEINE
Avec du jus de tomate.

MARIE
Oui, oui, Marcel.

LA STATUE
Arrête de brailler! pis amène!

MADELEINE
J'ai travaillé tout' la nuit avec des épa pour c'te contrat-
là, pis r'garde comment tu me r'çois.

MARIE
Marcel, Marcel. Parle-moé tranquillement. Crie-moé pas
d'noms. Tu m'fais d'la peine.

MADELEINE
Des plottes comme toé, j'en ai jusque-là. Si j'voulais,
j'aurais rien qu'à faire ça *(Il claque des doigts.)* pis j'en
aurais deux comme toé.

LA STATUE
Oh, pas comme toé!

MADELEINE
Deux p'tites de dix-huit ans. Pis qui aiment le sexe, à part
de ça!

LA STATUE
Pis qui aiment le sexe, à part de ça!

70

MADELEINE
Crisse de masochiste!

> *Madeleine et la statue font des bruits semblables
> à des gifles.*

MARIE, *elle relève la tête.*
Pis j'y ai encore dit: «J't'aime, Marcel.»

LA STATUE
Les femmes ont toujours aimé les écœurants.

> *La statue retourne dans son lieu.*

MARIE, *dans son lieu.*
Un homme. Un mari. Une brute. Et l'amour?

MADELEINE, *avec Marie.*
L'amour! C'est leur racket de la protection. Cé tout' des
pimps. *Have no fear, your man is here.*

MARIE
Mais qu'est-ce qu'i a dans tête?

MADELEINE
Dans tête? Y a rien. Sa tête, c'est rien qu'un garage où
il entrepose son précieux phal-lus.

LA STATUE, *dans son lieu.*
Je suis l'Immaculée, dans toutes leurs conceptions.
Je suis la désarticulée, dans toutes leurs obsessions.
Les hommes ont peur de ce qui fleurit entre leurs jambes.
C'est pour ça qu'il te bat.
C'est pour ça qu'ils m'ont inventée.

Quand les hommes avaient peur du vide, ils avaient déjà inventé Dieu.

MARIE

Qu'est-ce que je fais à rester encore ici? Est-ce que je vais attendre qu'il me tue? Peut-être que je n'ai pas le tour avec lui. Que je ne l'ai jamais compris. Ça doit être de ma faute si je l'agace autant. Faudrait que je fasse attention. *(Silence.)* Peut-être qu'il voudrait avoir d'autres enfants... Me semble que ça nous raccorderait.

MADELEINE

Parle-z-en donc à la reine mère.

> *La statue marche vers son lieu neutre. Elle chante.*

LA BALLADE AUX OISEAUX

Quand passe le grand geai bleu
La rose rouge au bec
Il m'emplit de promesses
Et toujours il reste mon très amoureux
Il m'apprend la manière
M'apprend à aimer
M'apportera la lune
Le soleil dans ses mains

REFRAIN

Je ne suis pas aux hommes
Je ne suis pas aux femmes
Je ne suis pas à l'argent
Je suis aux oiseaux

Quand vole la colombe
Au-dessus de mon lit
Son ombre m'éveille
Charme mes oreilles, fleurit mes rosiers
La belle, n'ayez pas peur
Ne rendez pas l'âme
Mon ventre s'est gonflé
Et l'oiseau envolé

(REFRAIN)

Quand volent les vautours
J'ai une croix dans mon cri
Les juges l'ont donné
Les bourreaux cloué mon fils au pilori
Le vol noir des corbeaux
Déchire les espaces
Ma vie est toute saignée
Et le merle a pleuré

(REFRAIN)

Quand chante le rossignol
Entends-tu mon message?
Il raconte mes peines
À trop aimer,
Quel est donc l'usage?
Mon amant m'a quittée
Et mon petit bébé
Ma fille, sois aux écoutes
Ta mère est en déroute
Quel moineau l'a piquée?

MARIE, *dans son lieu.*
Ah ah ah! J'me sens comme une boîte à corn flakes.
(Silence.) Peut-être que si le petit bebé à sa maman, il

73

ouvrait la boîte à corn flakes, y trouv'rait un beau p'tit jouet ou le portrait d'un joueur de baseball dedans. Le beau tit bebé à sa maman. Est fine, sa maman. C'est la plus belle du monde! Y é beau, le p'tit bebé à sa maman *(Silence.)* Le beau tit bebé à sa maman, c'est-y un beau tit Jésus? Guidi, guidi, té un beau tit gasson! Quand i va être grand, i va-t-i être l'ami à sa maman? Quand y va être grand le petit gasson, y va-t-y… y va-t-y être fort comme… comme… comme sa maman? Ou comme Tarzan? Y va faire encore des dodos, le petit gasson! *(Silence.)* Je me sens comme une pâte à pain qui voudrait pas lever. C'est le printemps pourtant. J'ai pas de ressort. C'est pas moi que les gloires de la maternité tiennent sur le piton. Je ne dois pas être normale! *(Silence.)* Maman va te raconter une histoire. Il était une fois un petit garçon très très fort. Il jouait dehors. Le vent puissant voulait le jeter par terre. Mais le petit garçon était plus rapide et plus fort et plus puissant que le vent. Il se battit longtemps avec le vent. Puis, il se mit à courir vite, vite, vite. Il entra dans la maison et referma la porte avant que le vent puisse se glisser derrière lui. Et le petit garçon fort se jeta dans les bras à sa maman pour lui raconter comme il était fort. *(Silence.)* J'me sens niaiseuse. Inutile. Ça m'tente pas de rien. C'te bebé-là, même quand i dort i m'enlève tout mon jus. Maman, comment t'a fait?

MADELEINE, *dans son lieu; elle est saoule.*
Il était une fois une pâte à pizza légère comme une petite fille, qui tournoyait au bout du bras d'un monsieur italien qui savait faire virevolter la pâte. La pâte, comme une petite fille, se prit un bon élan. Et avec cet élan, la petite fille, portée par un mouvement de plus en plus rapide, se mit à voler et réussit à s'enfuir très très haut dans le ciel. Et le monsieur italien cherche encore sa pâte.

(Silence.) J'en aurais-tu voulu, un p'tit bébé? Une belle p'tite fille… Ah, j'aurais envie de me bercer comme on berce un enfant! Lentement. Doucement. Avoir ce parfum de chair fraîche entre les bras. Une petite fille. Deux petites filles. *(Silence.)* Et un petit garçon aussi. *(Silence.)* Trois enfants. J'aurais voulu avoir trois enfants. Ah, j'ai envie de me bercer comme on berce un enfant! Des petits bébés. Des petites couchettes. Des petites menottes. Des petites voix qui disent maman. «Maman les p'tits bateaux qui vont sur l'eau…» *(Silence.)* Ah, j'ai envie de me bercer comme on berce un enfant! Je vous berce, tous mes p'tits bébés que je n'ai pas eus *(Silence.)* Dans sa boîte, à côté de mon lit, quand ma chatte a ses p'tits, j'ai l'impression que toutes les étoiles se liquéfient. *(Silence.)* Un double scotch, s'il vous plaît, la fée a soif!

LA STATUE

Tous mes enfants m'ont été décomptés. Tous mes enfants m'ont été arrachés.

MARIE, *dans son lieu neutre.*

Mon cher psychiatre, ce n'est pas mon père que je cherche, je le connais. C'est ma mère que je cherche. Ma pareille. Ma mère, mon étrangère. Qui nous a divisées, maman? Toi d'avec moi? Toi en toi?

LA STATUE
Toi, moi.

MARIE
Toi.

LA STATUE
Moi.

MARIE
Toi, diviser en toi-même? Et moi en moi-même?

LA STATUE
Moi. Toi.

MARIE
Maman. Tu m'as enseigné à être propre, féminine et distinguée. Et pure. Jusqu'à la neutralité.

LA STATUE
Moi? Ils m'avaient inventée pour toucher la part de Dieu qui leur revenait.

MARIE
Je me suis piégée dans tes histoires. Tu as pleuré et tu n'as rien appris de tes larmes. Pour la vertu, maman. Qu'est-ce que leurs vertus? Tu m'as dit: «On est toujours la servante de quelqu'un.» Moi, je n'ai pas envie. Je l'aime, le p'tit. Mais toute la journée toute seule avec lui, maman, moi je ne le prends pas. Je m'ennuie. Maman, je dépéris. *(Silence.)* Toi qui avais souffert de la soumission, pourquoi m'as-tu engagée à me soumettre aussi? Ça n'a pas de bon sens, maman! Il y a quelque part, quelque chose que tu ne m'as pas dit. Tu te prenais pour la Sainte Vierge. Celle de toutes les douleurs. Tu aimais les curés. Ils t'ont détournée de ton corps. De ton homme. Et de moi. Ils t'ont volée à toi-même. Maman, je cherche ma mère. Maman, dis-moi quelle bataille nous avons perdue un jour pour aboutir à être moins qu'un tapis? La bataille a-t-elle jamais eu lieu, maman? Tu étais faite pour aimer.

Ils ont fait de toi une matrone. Comment se parle, maman, la langue maternelle? Ils ont dit qu'elle était une langue maternelle. C'était leur langue à eux. Ils l'ont structurée de façon à ce qu'elle ne transmette que leurs volontés à eux, leurs philosophies à eux.

LA STATUE

C'étaient les eunuques du prophète. Les eunuques de l'esprit et de la chair.

MARIE

Ils t'ont trompée, maman. Leur langue ne nous appartient pas. Elle ne nomme rien de ce que je cherche. Elle cache mon identité. Je m'ennuie partout en moi de mon lieu secret de moi. De ton lieu secret qui ne me fut jamais livré. Si je ne te trouve pas, maman, comment veux-tu que je me trouve, moi? Je m'ennuie de la femme qui est en toi. Maman. Maman. *(Silence.)* Maman, je voudrais dormir encore dans tes bras. Je voudrais me rapprocher de toi. Pour trouver la voix réelle de nos vraies entrailles. Maman, je voudrais m'éplucher comme une orange. Je voudrais jeter ta peau de police. Je voudrais me défaire, de peau en peau comme un oignon. Jusqu'à me baigner dans notre âme. Maman, maman, viens me chercher!

MADELEINE

Maman, viens chercher ta p'tite fille!

LA STATUE

Mes pauvres petits bébés d'amour! Tous ceux qui ont voulu être Dieu, des dieux, ont défait mes entrailles et l'amour qui rôdait dans mes bras, dans mes mains, dans mes cuisses, dans mes yeux et dans mes seins.

77

Elles sont chacune dans leur lieu neutre.

MADELEINE
Cel-lu-le.

MARIE
Fa-mil-le.

MADELEINE
Foy-er.

LA STATUE
Re-li-gion.

MADELEINE
Cel-lu-le.

LES TROIS
Nos larmes
N'usent pas
Les bar-reaux de nos prisons
Les bar-reaux de nos prisons
Nous som-mes des pris-son-niè-res po-li-ti-ques
Nous, les mè-res, les pros-ti-tuées et les sain-tes
Nous som-mes des pri-son-niè-res po-li-ti-ques
Com-me les femmes qui ont assassiné leur mari

MADELEINE
C'était moi ou lui.

MARIE
À force de plier, j'ai rompu.

LES TROIS ENSEMBLE
Nous som-mes des pri-son-niè-res po-li-ti-ques
Nos lar-mes n'usent pas les bar-reaux de nos pri-sons

La statue retourne dans son lieu.

MADELEINE
Un jour, le lapin dit à Alice: «Arrête de pleurer, sinon
tu vas te noyer dans tes larmes.»

MARIE, *dans son lieu.*
Si je remontais le cours de chacune de mes larmes, à quel-
les sources j'aboutirais? Bof! D'un déluge à l'autre, j'en
ai assez. J'en ai assez de tous ces murs! Je vais ma la sas-
ser, cette vie-là!

MARIE, *allant vers son lieu neutre, se tournant vers
la statue.*
Pourriez-vous me garder les enfants pour un p'tit bout
de temps? J'ai quelque chose de très important à faire.

LA STATUE
Calvaire! Vous allez pas faire comme vos frères! Vous
allez pas vous libérer sur le dos de vos mères!

*Marie laisse tomber son tablier qui fait un bruit
identique à celui de la chaîne de la statue. Puis
elle ferme son lieu et elle s'en va.*

MARIE, *elle chante.*

CHANSON DE QUITTANCE

REFRAIN
Mon cher mari
Inquiète-toé donc
Je suis partie
Courir la vie
Parce qu'ici
Ça sent le néant
Je te laisse
Les deux enfants
Occupe-toi-z-en

Tu as passé
Une longue nuit
Sur tout' ma vie
Je m'en vais seule
Pleine de sommeil
Chercher l'réveil
Tous mes désirs
Me les décrire
Dedans un rire
Proche du délire

(REFRAIN)

J'te dis adieu
Salut, mon vieux
Et fâche-toi pas
Ça sert à rien
J'veux voir le jour
S'lever sur moi
M'nourrir de moi

80

Et puis de joies
Je ne veux plus
Chercher la mort

(REFRAIN)

Pendant ce temps
Cherche la chaleur
Chante la douceur
Je reviendrai
Plus tard, plus tard
Quand j'm'aimerai
Assez, assez
Quand j'm'aimerai
Debout dans l'temps
Pour les enfants

MADELEINE

Moi, ma mère, elle a eu neuf enfants. J'étais la plus
vieille. Pis mon père… quand t'as pas ben ben d'instruc-
tion, des enfants t'en fait. C'est tout ce que tu sais faire…
Ma mère, quand était trop fatiguée, qu'a n'en pouvait plus
d'la maison, pis de sa pauvreté, pis de rêver que ça pourrait aller mieux, a disait: «Chu tannée de rêver, j'peux
pu m'imaginer comment ça va aller, quand ça va aller.»
Pauvre maman. Pis a sortait dehors, a s'ramassait une bri-
que quelque part, pis a pétait une vitrine. Pis a riait. La
police arrivait. L'emmenait en prison pis à l'hôpital, chez
les folles. À Saint-Jean-de-Dieu. Là, elle dormait sans
pilules. Quand elle avait bien dormi, ils lui donnaient un
ticket d'autobus. Pis elle revenait. Cré maman.

LA STATUE

J'ai encore fait mon même vieux rêve hier. La soleil bril-
lait très forte dans la ciel. Et la ciel, c'est comme si ça

avait été toutes mes entrailles. Y avait des impatientes qui riaient pour fleurir. Je leur disais: «Taisez-vous, taisez-vous…» Mon fils est mort. Et il me battait avec sa croix. Toutes mes filles pleuraient. Je leur disais: «Taisez-vous, taisez-vous.» Et elles aussi me regardaient avec des yeux méchantes. Alors j'essayais de me cacher de la soleil. Je cherchais une œuf pour me cacher. Et il n'y en avait nulle part. Et je me disais: Pour que ça change, il faut trouver une œuf. Une œuf rouge. Y a-t-elle quelqu'une qui a vu une œuf? Une œuf rouge? Et pas d'oiseaux à l'horizon.

MARIE, *elle va vers Madeleine.*
Madeleine, Madeleine, tiens-toi bien! Madeleine, je suis partie. Comme tu me vois. Partie. J'suis même pas énervée. Pas tant que j'pensais. *(Silence.)* Ça fait une semaine. *(Silence.)* Oui, toute seule. J'me suis loué un *tourist room* au carré Saint-Louis. *(Silence.)* J'ai marché. Marché. Marché. Pensé.
Dormi. La première journée, tu m'comprends? La première journée, c'est comme si j'avais toujours été toute seule au monde. Le grand vide. Juste à marcher, avec pas une idée dans la tête. J'me sentais comme une *can* de crème aux tomates. J'occupais un p'tit espace rouge. C'est tout. *(Silence.)* Donne-moi un petit scotch. Me semble que ça me réchaufferait.

LA STATUE
À moi, ils ont enlevé tous les rouges et rendu le rouge honteux.

MARIE
J'me demande ce que j'ai fait pour vivre aussi longtemps avec lui. Huit ans c'est long! J'ai une petite idée de ce que c'est l'éternité. *(Silence.)* J'ai comme peur à rebours

de ce qui aurait pu m'arriver dans cette maison. J'ai été à la tabagie du coin, je regardais les étalages de journaux. Et j'ai vu que je suis partie pour ne pas finir dans *Allô Police*. Y a des affaires que je trouvais normales. Maintenant elles n'ont aucun maudit bon sens. Avant de me marier, quand je sortais avec lui, sais-tu, Madeleine, ce qu'il me disait? Il me disait: «Si tu me quittes, je te tue.» Et moi, la dinde, je lui répondais: «Si tu me quittes, je me tue.» Y avait toujours rien que moi qui mourrais. *(Silence.)* Une fois, après une grosse chicane, sa mère m'avait dit: «Tu sais, Marie, une mère c'est toujours lâche devant son enfant. Ça pardonne n'importe quoi. Mais vous, Marie, vous êtes pas obligée d'être lâche.» Cette journée-là, c'est comme si elle m'avait donné la permission de partir. Il me fallait encore des permissions. *(Silence.)* Mais j'pense juste aux p'tits. Comme si j'étais passée d'un piège à un autre.

MADELEINE

Ah, les mères! Y en a pas une de pareille. Pis, a se ressemblent toutes.

LA STATUE

Ils m'avaient inventée pour toucher la part de Dieu qui leur revenait. Et pour ma part, j'ai un peu joué ce jeu. Puisqu'irresponsable dans ma culpabilité. Cette angoisse excessive de jeter en même temps un enfant dans la lumière et en même temps dans le noir. Puisque je lui avais donné la vie, on me disait aussi responsable de sa mort. On me rendait coupable de toutes les morts. Que faisions-nous de mes amours entre les deux? Ah, cette maudite statue! Je la fendrai! Je l'éclaterai! Sortez-moi de cette statue! Que je m'en sorte!

MADELEINE

Depuis que je te connais, Marie, j'arrête pas d'penser.
Tu m'mets des idées dans tête. J'te comprends. Ça m'tente
de flanquer tous mes clients à porte. J'aurais envie
d'm'ouvrir un p'tit commerce. Un p'tit magasin de cou-
pons. J'aime ça, les beaux tissus. D'la soie. Du velours.
Pis du beau coton… Eille!… on pourrait p't'être s'ouvrir
ça ensemble. Leur sexe, chus rendue que j'haïs ça autant
qu'une sauceuse de chocolat peut haïr le chocolat…
*(Madeleine se verse à boire.) And I got something trot-
ting in my head. (Madeleine est maintenant debout dans
son lieu neutre.)* D'habitude, c'est au deuxième verre de
scotch que mes accroires pètent. C'est là que j'fends ma
fiction. Comme un éclair. Que ma réalité m'apparaît. Les
hommes passent dans mon lit. Y en n'a jamais un qui soit
sensuel. Non. Ceux qui viennent ici, c'est pour chercher
la part du diable qui leur revient. Il leur faut une démone.
Y viennent prendre chez moi c'que j'suis pas. C'est-tu
fou, le monde! *(Silence.)* Dans le fond, c'que j'suis, c'est
une police. Y a les mamans-polices. Y a les statues-
polices. Pis les putains-polices. Et nous sommes les gar-
diennes de leur ordre moral de leur société. Parle-moé
d'une job! *(Silence.)* D'habitude, quand j'arrive à mon
cinquième verre de scotch, je me mets à pleurer. J'en
prends encore. Pis j'm'endors. Le lendemain, quand je
me réveille, il me semble me souvenir qu'à un moment
donné, avant de m'endormir, j'ai su quelque chose de très
important. Et de façon très claire. Qu'est-ce que j'ai su,
que j'ai compris et qui s'en va sans que je le retrouve?
Comme un rêve révélateur que tu peux pas rattraper.
Qu'est-ce que j'ai su pendant quelques minutes et que je
me mets à oublier ensuite? *(Silence.)* Il me semble qu'à
soir je pourrais toucher à mon secret. J'ai comme un fee-
ling que ça pourrait me sortir du bout des doigts. J'me

sens comme un grand vent nécessaire du mois de juin. Celui qui décroche les fleurs des arbres. *(Silence.)* Eille, Marie, Marie, Marie, Marie, Marie. *(Madeleine se rassoit chez elle, dans son lieu. Pendant qu'elle parle, elle enlève ses bottes. Quand elle les laissera tomber du haut de ses mains, on entendra un grand bruit. Celui de la chaîne et du tablier.)* J'en veux pu de c'te maudite vie-là! J'en veux plus d'la peau d'catin! D'la peau d'putain! D'la peau d'chien!

> *Madeleine prend Marie dans ses bras. Elles dansent toutes les deux.*

MADELEINE

Tiens-toé ben, Marie! *(Madeleine vient dans son lieu neutre.)*
J'ai r'trouvé mes souliers. À soir, je r'tourne célibataire.

LA STATUE, *dans son lieu neutre.*
Voulait que ne paraissent que mes fragilités afin que je passe mon temps à m'en inquiéter. Proverbisait: «Le silence est d'or», pour coucher sous leurs pieds les majorités silencieuses. Voulait que je me taise sans cesse pour n'écouter que lui toujours. Lui fallait un sourire de Bouddha, une tête de Sphinx, un œil de Vierge. Me voulait Mona Lisa et se gardait la *poker face*.

MADELEINE, *dans son lieu neutre.*
Me persuadait avec son sourire de vendeur de chars usagés que l'amour est impossible. Disait que sous mon œil de velours se cache un vagin plein de dents et de morts.

MARIE, *dans son lieu neutre.*
J'ai saigné chacun de mes silences. Je me suis débranchée du vide.

LA STATUE
Loup, y es-tu?

MADELEINE
M'entends-tu?

LES TROIS ENSEMBLE
Paré pas paré, j'sors pareil!

> *Marie quitte la scène. La statue regagne son plâtre. Madeleine est dans son lieu neutre.*

MADELEINE
J'pense que j'vas aller prendre une marche. J'pense que j'vas aller faire un tour. Tut-tut-tut, là. Une autre sorte de marche...

> *La scène suivante est interprétée par la statue et Marie, et Madeleine jouera physiquement une scène de viol. On entend des sifflements.*

MARIE
J'avais justement envie de rencontrer quelqu'une comme toi à soir. Tu me reconnais, mademoiselle?

MADELEINE
Oui, oui, je vous reconnais, mais à soir, j'ai envie de parler à personne. Pis, j'suis pressée. Bonsoir.

LA STATUE

Y m'semblait que je t'avais tombé dans l'œil. Tu sais que t'es une belle fille? Plus très jeune, mais une belle fille pareil.

MADELEINE

Vous ne comprenez pas le français? *I want to be alone.*

MARIE

Qu'est-ce que tu manges, toi, pour être belle de même?

MADELEINE

J'mange la même chose que toi, paqua, mais moi je l'digère. C'est assez. Laissez-moi passer.

MARIE

Eille, tu sais qu'té pas pire quand tu t'fâches!

MADELEINE

C'est assez! Laissez-moi tranquille!

LA STATUE

Ben voyons donc, t'as pas compris que je te veux?

MARIE

T'as pas compris que j'te veux?

MADELEINE

Ah Ah non! Vous allez pas me faire cette séance-là… Ah, non! Ah, non!

Madeleine tombe par terre.

MADELEINE
Non. Non. Non. Non. Non. Non. Non.

Un gros oiseau s'étend brutalement sur Madeleine.

LA STATUE
Eille, là! Arrête de faire semblant qu't'as peur. Les cochonnes comme toé, je les connais.

MADELEINE
Lâche-moi. Lâche-moi, lâche-moi.

MARIE
Tu sais qu'té pas pire. Té mon genre.

MADELEINE
Je vous en prie, monsieur. Partez. Partez avant que mon mari arrive. Y va te tuer!

LA STATUE
Ça prend pas. Je l'sais que t'en as pas de mari. J'aime ça qu'tu résistes.

MADELEINE
Non! Non! Non!

LA STATUE
Mon hostie d'chienne, ça t'va pas pantoute de jouer les saintes vierges épeurées. J'sais qu'tu vas aimer ça.

MARIE
Envoueille, ouvre les jambes. Tu vas vouer. Écartille-toé que j'te mette, mon agace-pissette.

MADELEINE
Non.

LA STATUE
M'as t'a planter ma graine, tu vas vouer qu'est bonne.
C'est la meilleure en ville. Aie pas peur, a va être assez
grosse pour toé, ma belle câlisse. Envoueille ou j'te casse
le cou. Icitte, c'est moé qui é l'plus fort.

MADELEINE
Non! Non!

MARIE
J'te veux. J'te veux. J'te veux.

MADELEINE
Non. Non. Non.

MARIE
Envoueille. Pis j'vas t'prendre une gorgée d'lait en pas-
sant. Ça sera pour un gros demiard, madame.

LA STATUE
Tu vas vouer que j'vas t'rentrer d'dans! Fais pas ta pré-
cieuse. Chus sûr que t'aimes ça. Té faite pour ça. Maudite belle plotte. Viarge de putain. Envoueille. Jouis.
Jouis.

> Marie et la statue halètent. Madeleine geint.
> L'oiseau disparaît.

MADELEINE
Maman. Maman. Maman.

LA CHANSON DU VIOL

MADELEINE, *elle chante.*
Quand s'ouvre la lune comme un éventail
Je reste enfermée derrière ma fenêtre
Je ne me promène plus le soir
Sur la rue Marie-Anne
De la montagne au parc Lafontaine
Maintenant j'ai trop peur
D'être dans la noirceur
J'ai été violée

MARIE
Il y eut un procès.
Il y eut un juge.
Il y eut des avocats.
Il y eut un accusé.

LA STATUE
C'était un plombier.
C'était un notaire.

MARIE
C'était un professeur.
C'était un musicien.

LA STATUE
C'était un psychiatre.
C'était un menuisier.
C'était un journaliste.
C'était un sociologue.
C'était un voyageur de commerce.
C'était un gynécologue.

LA STATUE

Il connaissait la cliente et déclara l'avoir reçue en consultation deux ou trois fois dans son cabinet où elle lui aurait fait, chaque fois, des avances précises.

MARIE

Il y eut des criminologues pour demander si de fait, dans ce cas-ci, l'accusé ne se trouverait pas être la réelle victime.

LA STATUE

La justice fit aussi appel à son autre police des mœurs: la médicalisation de tout acabit.

MARIE

Il y eut des centaines de femmes venues de partout donner leur appui moral à la plaignante.

MADELEINE, *elle chante.*
Je suis une célibataire qui vit toute seule
Avant j'étais très fière, maintenant j'ai très peur
Mon Dieu je me demande pourquoi sur la rue Marie-Anne
Ce gars-là avait besoin de me faire mal
J'étais un' femm' seul'
Il aurait pu m'parler
J'ai été violée

MARIE

Il y eut l'exercice du pouvoir qui questionne, qui tourmente, qui guette, qui épie, qui fouille, qui palpe, qui pourchasse, qui ouvre grand les yeux, qui cligne des yeux, le pouvoir qui désire et stigmatise en même temps.

LA STATUE
Ça les gêne pas, à part de ça!

MARIE
Violer une putain, ce n'est pas violer.

LA STATUE
Les tentations ne peuvent venir que de la femme.

MARIE
Elle a tout fait pour que ça lui arrive.

LA STATUE
Savez-vous ce que vous êtes, Ève? Vous êtes la porte de l'enfer.

MARIE
Blanche-Neige est insatiable.

LA STATUE
Violer une prostituée, ce n'est pas violer.

MADELEINE, *elle chante.*
Je suis une fille d'adon qui a le cœur ouvert
Pas un vase sacré, aurait pu s'en douter
Où cé qu'ça s'perd, la sensibilité?
Sur la rue Marie-Anne
Perdu l'innocence
Attrapé la peur
Tombée dans la frayeur
J'ai été violée

MARIE

Il y eut toute la mascarade. Toute l'humiliation, toute la misère d'une femme dépossédée.

LA STATUE

Le juge se sentait objectif. Les avocats aussi. Aucun d'eux ne s'est jamais senti impliqué. Même si le fait du viol fut reconnu, aucun ne vit là matière même à viol. Aucun n'y reconnaissait l'image de sa mère, de sa fille ou de son épouse. Le patrimoine demeurait intouché. Comme si c'était en tant que patrimoine qu'une femme pouvait être violée.

MARIE

Il y eut l'avocat de la défense qui demanda comment on pouvait soupçonner de crime un homme qui connaissait la pratique des femmes aussi bien qu'un gynécologue?

LA STATUE

Au cours du procès, la question qui créa le plus d'intérêt et le plus d'émoi et qui fit oublier l'accusé lui-même, la question qui devint la question la plus importante fut celle-ci: la plaignante avait-elle joui?

MARIE

Il y eut soudainement le pouvoir qui n'était plus contre le plaisir. Il y eut tout à coup la force du pouvoir qui voulut chevaucher le plaisir. Il y eut la relance à la jouissance. Il y eut l'alliance de la justice et de la médecine pour réclamer le droit à donner la jouissance à une prostituée.

LA STATUE

N'importe où. N'importe quand. N'importe comment. Une queue, ça fait jouir. Tout le monde le sait.

MADELEINE, *en chantant.*
Où ont-ils appris à tant nous faire peur?
Comment sont-ils devenus des violeurs?
Perdu leur douceur
Sur la rue Marie-Anne
Ils m'enferment tout' seule dans ma maison
Avec ma peur
Pétrissant mon cœur
J'ai été violée

MARIE

Il y eut la fin du procès. Le violeur fut innocenté. Ce fut comme la fin d'un grand été. Dans le transept, les hommes de loi fiers d'eux se congratulaient. Dans la Cour, tout le monde se levait en même temps.

LA STATUE

On aurait dit des volées d'étourneaux quittant brusquement un champ de blé d'inde. Parce que rassasiés? Madeleine, la plaignante-prostituée, stridait un seul cri dans le soleil bouillant. C'était encore l'été. Mais dans le fond de l'air, les verges d'or avaient fleuri. Et c'était comme la dernière journée de tous les étés.

MARIE

Il y eut des femmes qui sortaient de la Cour la gorge engoitrée de sanglots. Il y eut des femmes qui riaient du sort de la plaignante violée. Il y eut des femmes dont les dents serraient des cris violents. Il y eut des femmes qui pleuraient doucement. Tout bonnement. Il y eut une femme qui demandait à la porte: «Le viol, c'est la pathologie du sexe ou du pouvoir?» Il n'y eut personne pour lui répondre. Chaque réponse attendait son moment. Il y eut une femme qui fut comme si elle n'avait jamais été violée.

MADELEINE, *en chantant.*
La nuit, des parcs, des boulevards, et des rues
Par les violeurs me sont défendus
Je n'ai plus le droit d'être seule
Sur la rue Marie-Anne
Et de marcher pour noyer mon chagrin
Changer le mal de place
Pour mieux oublier
Que j'ai été violée
Monsieur le juge

> *La statue, hurlant de rage et sortant violemment de son lieu.*

J'en peux pu. J'en peux pu. J'en peux pu. J'en peux pu. Je l'prends pu. Je l'prends pu. Je l'prends pu. Je l'prends pu pantoute. J'prends pu rien de t'ça. Rien. Rien. Je ne veux plus de ce sarcophage. Je ne veux plus que l'on me salue dans une statue pendant que l'on me dénigre, que l'on me méprise dans chaque femme. Je ne suis plus un alibi. *(Elle se retourne face à la statue.)* Calvaire! *(Puis la statue éclate et le serpent tombe par terre.)* Qu'est-ce que tu fais là? Reviens à moi, autour de moi. Ils t'avaient écrasée sous mon talon avec leurs ruses de vieux hommes célibataires. Race de vieux garçons! Ils dénigraient la terre, ces apocalypses malades. Malades de peur. Et ils ont fait croire que j'étais un bourreau matriarcal. *(Silence.)* Va, serpent! Je ne t'écraserai plus. Va ramper. Assume la terre. Elle est bonne. Quand j'étais petite, je jouais pieds nus dans la boue. Sachez-le, vieux sphinx du péché! Toutes vos vieilles ambitions schizophrènes ont été éternuées. Va, serpent! Et il n'y aura plus jamais rien de pareil. Imagine!

Elle rit. Le serpent part. Paraissent Marie et
Madeleine qui rient aussi.

MADELEINE
Imagine.

MARIE
Imagine.

MADELEINE
La bastringue va commencer.

MARIE
Imagine.

LA STATUE
Imagine.

MADELEINE
Il n'y a pas de recettes pour celles qui cherchent ce que
personne n'a jamais vu.

LA STATUE
Toutes les vagues de toutes les folies agitent nos peaux.

MADELEINE, *en chantant.*
Take my hand, I'm a stranger in paradise.

MARIE
Quel est ce vieux rêve de toutes les créatures de vouloir
être pour au moins une personne au monde la personne
la plus importante du monde?

MADELEINE
Je ne sais pas. Je ne sais pas ce que c'est que l'amour.
Je ne sais pas ce qu'est que la dignité. Mais je connais
tout du mépris.

LA STATUE
Avant de te parler, j'ai jasé avec les arbres, les nuages,
la lune, mes plantes. Et avec ma chatte. Je me suis pré-
parée. Alors, ouvre les oreilles!

MARIE
Parce que tu ne me diras plus en quelle manière ni en quel
style les femmes battues, les femmes déchirées, les femmes enfermées, les femmes prostituées vont tout faire
sauter.

MADELEINE
Tu ne me diras pas comment raidissent les artères. Tu
ne me diras pas comment blanchissent les grands-mères.
Tu ne me diras pas comment s'appauvrit le sensuel. Tu
ne me diras pas comment se réchauffe la raison.

LA STATUE
Tu ne m'expliqueras plus comment doit jouir mon corps.
Tu ne me compteras plus par morceaux. Tu ne nomme-
ras plus mes orgasmes à ton nom. Tu ne me dicteras plus
aucun devoir.

MADELEINE
Tu ne me diras plus comment se gèle la jeunesse. Tu ne
me diras plus comment fleurissent les lilas. Tu ne me diras
plus comment rougissent les pivoines. Tu ne me diras plus
comment se rouillent les rivières.

MARIE
Tu ne me diras plus.

LA STATUE
Tu ne me diras plus.

MADELEINE
Tu ne me donneras plus jamais ni la note ni la mesure.

MARIE
Et garde tes conseils pour toi. Et réfléchis.

LA STATUE
Et ouvre encore tes oreilles. Et pèse chacun de tes mots.

MADELEINE
Je t'attendrai quelque part. Là où les cœurs gravent leurs noms.

LA STATUE
Je me plante au milieu du chemin. Je suis la rivière répandue.

MARIE
J'en appelle à vous, chevaliers moroses, qui avez fait vœu de masculinité. Je vous invite à déserter vos hystériques virilités. Déserteurs demandés. Iconoclastes demandés.

MADELEINE
Sinon, qui me tiendra pour femme, à part les femmes?

LA STATUE
J'en appelle à moi. Parce que le temps des victimes est terminé…

MARIE
Il n'y a eu depuis le début du monde…

LA STATUE
Qu'un seul interdit.

MADELEINE
Qu'un seul interdit.

MARIE
Les amoureux.

MADELEINE
Les amoureux.

LA STATUE
D'où me voici devant toi
prête à aimer
d'où me voici charnelle
et pleine de têtes
je suis des sept jours de la semaine d'où
me voici debout
et vivante devant toi
pour rompre toutes les iniquités
je suis étendue sur ton tronc comme on
jouit dans le bien de sa peau
j'inscris chacun de mes signes sur toi
je ne serai plus jamais nulle part en toi en
exil de moi
parce que la chair de l'enfant m'érotise et

me flambe seins et cuisses
d'où me voici debout devant toi
ne me pornographise plus quand tu
trembles devant ta propre naissance.

MADELEINE
Je ne serai plus jamais nulle part en toi en
exil de moi
me voici debout devant toi
riant au milieu de moi.

LA STATUE
Imagine.

MARIE
La chair de l'enfant m'érotise
et me flambe seins et cuisses
d'où me voici debout devant toi
ne me pornographise plus
quand tu trembles devant ta propre
naissance.

LA STATUE
Nous voici devant toi debout, nouvelles.
Imagine.

MARIE
Imagine que je suis une bien bonne vivante.

MADELEINE
Imagine que je ferais une bien mauvaise mourante.

LA STATUE
Imagine que je suis vivante.

MARIE

Imagine.

MADELEINE

Imagine.

LA STATUE

Imagine.

OUVERTURE

Hautbois

CHANSON D'ERRANCE

Hautbois

Si cett' chan- son vous sem- ble pa- ro- les tris- tes et a- mè- res voix de grandes dé- sil-lu-sions mots__ de per- tes et dé- fai- tes Pre- nez pi- tié de nous __, pre- nons pi- tié de vous La vé- ri- té est en ex-

couplet 3
seulement

il La beau- té loin en pé-

ril _____ l'a - mour _____ est très ma -
lade nous somm' à la re - cherche
de nos corps de nos cœur de nos têtes
Si cett' chan - son vous sem ___ ble
pa- rol' fra- gi- les et sen- si _____ bles

voix de gran - des es- pé- rances
mots ___ de quêt' et de pri - è - res Prenons bien soin de nous pre-
nez bien soin de vous ___ .

CHANSON DE MADELEINE

CHANSON AU CONDITIONNEL

Intro

Di- sons ___ que j's(e)rais la plus belle du

monde, la plus belle du monde _____

Met-tons ___ que j's(e)rais la plus fine du

monde, la plus fine du monde _____

Di-sons que, met-tons que, di-sons donc, sup-po-sons;

Di-sons que, met-tons que, di-sons donc, sup-po-sons;

CHANSON DU PÈRE NOËL

Glockenspiel

mais l'père No - ël _____ com prend _

et la fée des é- toiles _____ gèle

de- hors tout' _ seule _____ , per Pourquoi, Pourquoi?

du Mais j'a-vais cru au père Noël _____

LA BALADE AUX OISEAUX

Quand passe le grand geai bleu la ro - se roug' au bec, il m'em- plit de pro - messes et tou- jours il reste mon très a- mou- reux il m'ap- prend la ma- nière m'ap- prend à ai- mer m'ap- por- te- ra la

lune   le   so- leil   dans ses   mains.   Je n'suis

pas   aux   pas   aux femmes   je
hommes je n'suis   n'suis pas à l'ar-

gent,   je suis aux oi -   seaux   - route

Quel moi- neau l'a pi -   quée _____ .

CHANSON DE QUITTANCE

Mon cher ma - ri, in- quièt' toé donc! Je suis par - tie cou - rir la vie parc' qu'i-ci ça sent l'né-ant. Je te laisse les deux en- fants, oc - cupe - toi - z-en! Tu as pas-sé ___ une lon-gue nuit sur tout' ma vie

CHANSON DU VIOL

DENISE BOUCHER

Denise Boucher est née à Victoriaville en 1935. Après un brevet d'enseignement supérieur à l'École normale Marguerite-Bourgeois de Sherbrooke, elle enseigne aux niveaux primaire et secondaire dans sa ville natale, de 1953 à 1961. Mais déjà la création l'intéresse et elle étudie la diction et l'art dramatique au conservatoire Lasalle, en même temps qu'elle conçoit une série d'émissions d'initiation à la musique et à la poésie à la CFDA de Victoriaville.

En 1961 commence une collaboration à différents journaux et magazines. On peut lire des textes de Denise Boucher notamment dans *Le Nouveau Journal* (1961-1962), *La Presse* (1962-1964), *Le Devoir* (1967-1968) et *Le Journal de Montréal* (1972-1976). De nombreux articles ont également été publiés dans *Maclean, Châtelaine, Perspectives, L'Actualité,* ainsi que dans le *Magazine littéraire* et le quotidien français *Libération*.

Denise Boucher est avant tout connue pour sa célèbre pièce de théâtre *Les fées ont soif,* créée au TNM en 1978, jouée ensuite en espagnol, en anglais, en russe, en italien, en catalan et en basque. Elle écrit, en collaboration avec Madeleine Gagnon, *Retailles,* qui paraît pour la première fois en 1977, suivi en 1978 de *Cyprine*. Denise Boucher est également l'auteure de plusieurs textes de chansons composés pour Pauline Julien, Louise Forestier et Gerry Boulet. Avec ce dernier, elle obtiendra le prix Charles-Cros en 1985 et le Félix de la chanson de l'année en 1989. En 1978, une nouvelle pièce, *Jézabel,* est donnée en lecture-spectacle au Centre national des arts à Ottawa.

Depuis les années 1970, l'auteure prononce de nombreuses conférences sur l'écriture, la création littéraire, les femmes et la littérature dans les universités québécoises et étrangères. Elle a donné des récitals de poésie notamment en Macédoine, en Yougoslavie, en Italie, en France, au Mexique, en Belgique et aux États-Unis. En 1996, l'auteure a fait jouer *Les Divines* et publié *À cœur de jour.* De 1998 à 2000, elle a été présidente de l'Union des écrivains québécois.

BIBLIOGRAPHIE

Cyprine, Montréal, Éditions de l'Aurore, 1978.

Lettres d'Italie, Montréal, Éditions de l'Hexagone, 1987.

Retailles, en collaboration avec Madeleine Gagnon, Montréal, Éditions de l'Hexagone, coll. «Typo», 1988.

Paris polaroïd, poèmes, Montréal, Éditions de l'Hexagone, 1990.

Grandeur nature, en collaboration avec Thierry Delaroyère, poèmes et tableaux, Trois-Rivières/Chartres, Écrits des Forges/Musée de Chartres, 1993.

À cœur de jour, poèmes, Trois-Rivières, Écrits des Forges, 1996.

Théâtre

Les fées ont soif, Montréal, Éditions Intermède, 1978.

The Fairies Are Thirsty, traduction, Talonbooks, Vancouver, 1982.

Jézabel, donnée en lecture-spectacle à ottawa, au Centre national des arts, janvier 1987.

Makward & Miller (dir.), «When Fairies Thirst», *Plays by French and Francophone Women*, University of Michigan Press, 1994.

Les Divines, Montréal, Les Herbes rouges, «collection théâtre», 1996; créée au Théâtre d'Aujourd'hui en 1996.

DISCOGRAPHIE

Femmes de parole, Pauline Julien, Kebec Disc, 1976. Chansons: «Pour de», «Marie m'a dit» et «Chanson pour Margaret».

Fleurs de peau, Pauline Julien, Kebec Disk, 1980. Chansons: «J'pensais jamais», «Nouvelles vêpres», «D'un soir», «Peine d'amour minable», «Ce soir je couche chez mon amie d'fille», «Cool», «Célébration de la colère» et «Reneuve».

Où peut-on vous toucher?, prix Charles-Cros 1985, Pauline Julien, Auvidis international, 1985. Chansons: «Maman, ta petite fille a un cheveu blanc» et «Rock and rose».

L'accroche-cœur, Louise Forestier, Gamma, 1977. Chanson: «J'ai perdu mon amie d'fille».

Rendez-vous doux, Gerry Boulet, Disques Double, 1988. Chansons: «Angela» et «Un beau grand bateau».

Jézabel, DC et cassette, musique et interprétation de Gerry Boulet, textes de Denise Boucher, réalisation de Dan Bigras, Montréal, Gerry Boulet inc., 1994.

TABLE

Cet ouvrage composé en Times corps 10 points
a été achevé d'imprimer
en mars deux mille un
sur les presses de Transcontinental
Division Imprimerie Gagné
à Louiseville
pour le compte des
Éditions Typo.

Imprimé au Québec (Canada)